MAM, JE WORDT OMA!

Carry Slee

MAM, JE WORDT OMA!

www.carryslee.nl

Tekst © 2010 Carry Slee

© 2010 Carry Slee en FMB uitgevers, Amsterdam

Omslagfoto en foto pagina 144 Hester Doove

Omslagontwerp twelph.com

Opmaak binnenwerk Peter de Lange

ISBN 978 90 499 2445 4

NUR 301

Carry Slee is een imprint van FMB uitgevers bv

Voor mijn lieve dochter Masja

EEN

Masja trok het rechtervoorportier van onze auto open en legde een doos Merci op mijn schoot. 'Omdat we mee mogen rijden.'

Was dit een grap? Toen de kinderen nog thuis woonden en ik aan het begin van mijn carrière stond, kwam ik regelmatig met een doos Merci thuis. In die tijd bezocht ik nog gratis scholen en bibliotheken om mijn werk te promoten. Soms reisde ik drie uur heen en drie uur terug met de trein. Een hele middag over mijn werk vertellen en na afloop trad de bibliothecaris dan naar voren. 'We danken Carry Slee heel hartelijk voor haar komst. Mevrouw Slee, we hebben iets voor u.'

En elke keer als ik weer een doos Merci kreeg, keek ik erbij alsof ik zeer was verrast. Deden we iets van betekenis voor elkaar in het gezin, dan zeiden we altijd: 'Jij hebt een doos Merci verdiend.'

En nu kreeg ik er een van mijn eigen dochter. Het

was geen grap, dat voelde ik. Sinds wanneer was ze zo tuttig beleefd? Omdat Edgar en zij mee mochten rijden? Dat was toch logisch? Ze hadden geen auto. We gingen naar Gouda, naar de opening van haar expositie. Elles keek strak voor zich uit over de weg en ik probeerde iets te mompelen als 'lief van jullie'.

'Moet je hem niet openmaken?' vroeg Masja.

'Straks,' zei ik.

'Ik lust er wel een,' zei ze.

We reden net de straat uit. Dan kon ik die doos nog openmaken ook, terwijl ik altijd zo onhandig was. Waar sloeg dit op? Na een tijdje prutsen was het gelukt. Ik hield de doos naar achteren zodat Mas en Edgar een chocolaatje konden pakken.

'Ik wil met hazelnoot,' zei Elles.

Ik zag wel iets vreemds in de doos, maar het drong niet tot me door.

'Zie je niks?' vroeg Mas. 'Kijk eens goed, mam.'

Ineens zag ik het. Midden in de doos ontbrak een chocolaatje. Wat zat er nou op die plek? Een predictor? 'Nee!' riep ik toen ik het roze streepje zag.

'Mam, je wordt oma!'

El gaf ook een gil.

De tranen stonden in mijn ogen. Onze Mas was zwanger.

'Het kan nog losraken,' zei ze. 'Dat je het weet.'

'Hoe ver ben je?'

'Net een week over tijd.'

De laatste jaren barstte ik van de omahormonen. Toen we een keer in de fietsenwinkel een peuterfietsje zagen, werd ik helemaal week vanbinnen. Laatst wees Elles in een tuincentrum naar een klein gietertje. Ik werd op slag sentimenteel.

Terwijl we door Amsterdam reden keek ik naar buiten. Ik zag moeders gearmd lopen met hun zwangere dochters. Ik zag oma's met kinderwagens. Kleintjes bij hun oma voorop in het zitje. Een oma met een jarige met een kroon op zijn hoofd. Een oma die met haar kleinkinderen het zwembad in ging. Een trotse oma naast een kinderwagen waar iemand bewonderend over gebogen stond. Overal waar ik keek zag ik oma's en zwangere vrouwen. Het leek alsof de hele wereld was veranderd.

Ik zag een oma achter een peuter aan rennen en dacht aan mijn eigen conditie. Daar mocht wel iets aan gebeuren. Als het kleintje wat groter was, wilde ik wel met hem kunnen ballen. En boompje verwisselen en verstoppertje spelen. Het moest niet zo zijn dat ik al halverwege de trap stond te hijgen en het kind dacht dat mijn batterijen op waren.

Mijn eigen opa deed vroeger handstand tegen de muur. In die tijd had niemand een opa die dat kon. Ik was zo trots op hem, maar helaas zag ik dat mezelf niet doen. Mijn oma kon hartstikke hard rennen. Ze zwaaide me uit toen ik op schoolreisje ging. Alle ouders zwaaiden, maar mijn oma rende achter de bus aan, helemaal tot aan de hoek. Ik was verre van trots. Ik schaamde me dood, bang als ik was dat ze zou vallen. Dat ging ik dus niet doen. En mijn moeder ook niet. 'Die uitsloverij van oma is niks voor mij,' zei ze altijd. Waarschijnlijk vond ze alles uitsloverij, want ik kan me niet herinneren dat ze ooit iets met onze kinderen deed. Soms vroegen de kinderen haar of ze mee wilde doen met een spelletje. 'Laat oma maar zitten,' zei ze dan. 'Oma is moe.'

Mijn vader ging nog weleens met ons mee naar de kermis. Toen onze oudste voor het eerst op een paardje in de draaimolen voorbijkwam, kreeg hij tranen in zijn ogen. Ik vond het nog zo sentimenteel, maar nu begreep ik het opeens.

Ik keek achterom naar Masja, die stralend naast de aankomende vader in de auto zat. Het leek opeens zo kort geleden dat ze zelf nog klein was. En nu werd ze moeder. In haar groeide ons kleinkind. Ik pakte haar hand en gaf er een kus op.

Elles stopte voor een zebrapad. Een vrouw van

boven de veertig achter een kinderwagen stak over.

Over een tijdje loop ik ook zo door Amsterdam, dacht ik. Het gevoel was zo groot dat ik het amper kon bevatten. Ik keek de vrouw na. Ze moest het hebben gevoeld, want ze keek vragend mijn kant op. Ik draaide het raampje open. 'Sorry dat ik zo kijk, maar ik word ook oma!' riep ik.

'Hoezo ook?' riep ze kwaad. 'Dan zal deze toch eerst een kind moeten krijgen.'

Lachend reden we door. Vroeger was het veel duidelijker. Mijn oma's droegen bloemetjesjurken. Ze hadden gepermanent haar met een vleugje blauw of lila erdoor. Ze liepen niet in een spijkerbroek met sneakers. Ik heb ze zelfs nooit in een broek gezien. Een oma zag eruit als een oma, je kon je niet vergissen.

'Hè,' zei Elles toen we de grote weg op draaiden. 'File.'

Meestal werd ik daar heel ongeduldig van. Maar vandaag kon het me niks schelen. Ik kon wel huilen van geluk. Over negen maanden min één week werd ik oma.

TWEE

Schrijven was mijn leven. Elke ochtend steevast om negen uur moest ik achter mijn bureau zitten. Voor de werkdag begon wandelde ik met de hond door het bos. De wandeling had ik zo uitgekiend dat ik het precies redde qua tijd. Maar soms hield iemand me aan voor een praatje. Net iets te lang. De rest van de wandeling liep ik dan half rennend met de hond blaffend achter me aan naar huis. Hijgend maar toch nog op tijd kon ik dan beginnen.

Een enkele keer was het door omstandigheden iets later geworden. Dan werd ik onrustig, kreeg ik een schuldgevoel. Ik moest van mezelf doorwerken; altijd wilde ik doorwerken. Was een verhaal bijna af, dan zat het volgende alweer in mijn hoofd. Ik stuurde het manuscript naar de uitgever en begon aan het volgende. Er zat geen dag tussen. Ik had altijd haast. Want ik was al te laat. Mozart zat al op zijn vierde achter de piano, dat was wat mijn vader altijd vertelde. Als je echt iets in de kunst wilde bereiken, moest

je jong beginnen, zei hij. En ik was pas op mijn acht-
endertigste met schrijven begonnen. Die verloren
jaren kon ik nooit meer inhalen.

Mijn hoofd zat vol verhalen. Ze moesten er allemaal uit, zo snel mogelijk. En bij elk boek was ik
bang dat ik halverwege dood zou gaan en het niet af
had. Na elke vakantie was ik blij dat ik weer levend
terug was en verder kon. Op een van mijn verjaardagen zat ik midden in een autobiografische roman.
We hadden vrienden voor de lunch uitgenodigd. Die
dag begon ik extra vroeg. Maar omdat ik wist dat ik
die dag niet ongestoord kon doorwerken, raakte ik
in de stress. Ik zat vast in mijn verhaal en kon mijn
werkkamer niet uit voordat ik wist hoe ik verder
moest. Elles moest iedereen afbellen. Maar mijn
toenmalige uitgever kwam me verrassen. Elles heeft
de bloemen en het cadeau aangenomen en haar kof-
fie met taart gegeven. Ik kwam mijn werkkamer
niet uit. Ik moest door door door.

Ook nadat mijn vijfentwintigste boek was ver-
schenen had ik nog geen rust. De postbode met een
aangetekend stuk, de man die de meterstand op
kwam nemen – alleen al de gedachte dat de bel kon
gaan gaf stress. Mijn werkkamer lag gunstig. Ik had
geen last van lawaaierige buren of het verkeer. Maar
er was één groot nadeel: vanaf de straat kon je me

zien. Het kon me zomaar overvallen tijdens het werk, de gedachte dat een vriendin onaangekondigd voor mijn raam zou staan. Zoiets gebeurde misschien een of twee keer per jaar, maar het kon die dag zijn. Ik begon al te hyperventileren bij het idee dat ze op mijn raam zou tikken en met een stralend gezicht het gebaar van koffiedrinken zou maken. Rustig, zei ik dan tegen mezelf. Hoe groot is die kans? Maar wees eerlijk, de kans was er wel. Na een halfuur gefrustreerd boven mijn werk te hebben gezeten, stond ik op, liep naar het raam en schoof de luxaflex dicht.

Ik schreef vijf dagen per week. Ik was blij als ik een prijs had gewonnen, maar er zat ook een keerzijde aan. Gedoe met de televisie en de pers. Het kostte me minstens een dag, soms wel twee.

Niemand kon me ervan afbrengen, ik moest door. Het was sterker dan mezelf. Ik schreef zó snel met de pen dat mijn pols na jaren begon te protesteren. Dan maar met links verder. De finish was nog lang niet in zicht.

En nu zei ik het zomaar, toen ik hoorde dat Masja zwanger was: 'Ik pas elke week een dag op je kind.'

Er was geen schuldgevoel, geen enkele twijfel. Een hele werkdag offerde ik zomaar op. Dat betekende tweeduizend woorden per week. Ruim honderdduizend per jaar. Een heel boek! Ik stond het zomaar af aan een embryo van nog geen week. Omdat het mijn kleinkind was.

Ze stonden er, de genodigden voor de opening van de expositie. De directeur van het museum stond op een soort podium. Ik had zin om zelf het podium op te klimmen, de microfoon te pakken en te roepen: 'Ik word oma!'

Het ging nu niet om mij, maar om Masja. Ik wist dat ik het nog niet mocht vertellen, maar tegen mijn beste vriendin kon ik mijn mond niet houden. 'Ik word oma,' fluisterde ik. 'Mas is zwanger.'

Ik moest het kwijt. Het liefst had ik meteen de pers gebeld.

Toen ik zelf zwanger was, kon ik het ook niet voor me houden. Ik was achtentwintig en dramadocent en vertelde het aan mijn leerlingen. Ik was nog maar tien dagen over tijd. Ik had nog niet eens een test gedaan. Toch vertelde ik het, zonder enige twijfel. 'Ik ben zwanger.' Na de conceptie had ik het meteen gevoeld. Mijn hele lijf voelde anders. Voor mijn ouders verzweeg ik het nog even, maar mijn leerlingen kregen het te horen. Ik vroeg hun wel om het geheim te houden. Ik werkte bij de Stichting Katholiek Onderwijs en ik had nog geen vaste aan-

stelling. De directeur van de school had al wel toe-
gezegd dat ik die zou krijgen. Even vond ik het nog
eng. Er hoefde maar één leerling tussen te zitten die
zijn mond voorbijpraatte, maar ze hebben niets verteld. Toen ik mijn aanstelling kreeg, heb ik ze op ijs
getrakteerd. Achteraf gezien was het heel stom geweest. Stel je voor dat ik toch gewoon ongesteld
was geworden, dan had ik ze dat weer moeten vertellen. Maar ik wist het zeker, ik werd moeder. Iets
mooiers kon ik me niet voorstellen. Mijn hele jeugd
had ik met poppen gespeeld. Het verzorgen zat me
in het bloed.

'Wat wil je worden?' had Sinterklaas gevraagd aan
de kinderen toen ik in de kleuterklas zat.

De meeste jongens hadden piloot gezegd. En een
paar meisjes wilden verpleegster worden.

'Moeder!' had ik geantwoord.

Hoewel ik er heilig van overtuigd was dat ik zwanger was, was de dag dat ik eigenlijk ongesteld moest
worden toch spannend. Ik had die dag les en liep op
school wel tien keer naar de wc om het te controle-
ren. De wc zat naast het kamertje van de conciërge.
Ik zag hem kijken, maar ik móést het weten.

'Heb je blaasontsteking?' vroeg hij toen ik voor de
zesde keer langskwam. Maar het kon me niet schelen wat hij dacht. Het was zo'n overweldigend ge-

voel, en dat had ik nu weer. Ik zag Masja stralend rondlopen. Haar blik was anders, zo zacht, alsof ze al moeder was. Ik werd oma, ik had er een status bij. Laatst moest ik voorlezen in een tv-programma van Prem. 'Oma leest voor,' zei ik tegen Elles toen ik mezelf terugzag. Maar nu werd ik echt oma. Het was net alsof alles op zijn plek viel. Over een poosje kon ik mijn kleinkind voorlezen. Hoe zou het gaan? Zou ik mijn eigen boeken voorlezen, of juist niet? Ineens wist ik het, ik ging nieuwe verhalen verzinnen met mijn kleinkind in de hoofdrol.

Als in een droom liep ik op de tentoonstelling rond. Ik geloof niet dat ik één kunstwerk heb gezien. Maar dat gaf niet, ik kende Masja's werk natuurlijk heel goed. En dit gevoel was spiksplinternieuw. Het was nog warm. Er kon niets tegen op.

Ik moet er wel heel trots uit hebben gezien, want de een na de ander kwam naar me toe.

'U bent zeker de trotse moeder,' zei een vrouw. 'Gefeliciteerd.'

'We hebben het net gehoord,' zei ik. Geweldig, hè?'

'Net gehoord?' De vrouw keek me verbaasd aan.

'De toespraak,' zei Elles gauw. 'De toespraak van de directeur die we net hebben gehoord. Wat een prachtige toespraak.'

Het drong niet echt tot me door. Ik kon alleen maar aan mijn kleinkind denken. Eind mei zou de baby komen. Masja was ruim een maand te vroeg geboren. Met zesendertig weken was ze er al. Misschien hield ik mijn kleinkind in april al in mijn armen. Dan was het een Stier. Stieren zijn lieve sociale wezens. Maar als het niet eerder kwam, was het Tweelingen. Ook niet verkeerd. Intelligent, vrolijk en luchtig. Ik realiseerde me dat ik nu al alleen naar de positieve karaktereigenschappen van mijn kleinkind keek. Ik glimlachte in mezelf. Niemand moest het wagen ooit iets negatiefs over mijn kleinkind te zeggen. Zo was ik als moeder ook. Alleen Elles en ik mochten kritiek op onze kinderen hebben, verder niemand. Als iemand iets over mijn honden zei werd ik al pissig.

De directeur van het museum kwam met Masja naar ons toe. 'U bent de ouders.' Hij gaf ons een hand. 'Gefeliciteerd, u mag trots op uw dochter zijn. Ik ben heel benieuwd naar de ontwikkeling in Masja's werk. Ze gaat ons nog verrassen.'

'Dat denk ik ook,' zei Masja lachend. 'Ik had zo gedacht volgend jaar, ergens in mei, dan komt mijn ultieme masterpiece.' En ze knipoogde naar ons.

DRIE

We hadden gedacht dat we nooit kleinkinderen zouden krijgen. Niets wees erop. Onze oudste dochter had het veel te druk met haar carrière en Mas was pas verhuisd in Amsterdam. Ze had haar etage in de Pijp verruild voor een appartement in de binnenstad, op drie hoog. Eerst dachten we nog dat het tijdelijk was, maar ze zei het heel vaak: 'Mam, we zijn zo gelukkig in ons nieuwe huis met het heerlijke dakterras. We hoeven hier nooit meer weg.' Dus geen kleinkinderen, dacht ik toen. 'Als ik geen kleinkinderen krijg, is het ook goed,' zei ik vaak dapper tegen mijn vrienden. 'Er zijn al zoveel dromen in mijn leven uitgekomen.'

Maar ineens kwam Masja ermee. 'Ik ben met de pil gestopt.'

'Dus jullie willen zwanger worden?'

'Nog niet meteen,' zei Mas. 'We wachten nog.'

Ik snapte het al, eerst moesten die hormonen uit haar lichaam. Ze had jaren de pil geslikt.

'Over twee maanden beginnen we.' Ze keek er geheimzinnig bij. 'Weet je het nog? Dan zitten we in Venetië.'

Ik herinnerde het me weer. 'De biënnale!' Dat was hun eerste gezamenlijke uitstapje geweest, twee jaar geleden naar de biënnale in Venetië. 'Wat romantisch!' Ik omhelsde Mas en Edgar.

Dat was helemaal iets voor hen. Op elke foto die we toen na afloop te zien kregen, stonden ze samen. Hun kleding zorgvuldig op elkaar afgestemd.

'We gaan naar hetzelfde hotel,' zei Masja.

Ze hadden het zo goed uitgedacht en toen dook hij ineens op, niet alleen in Nederland, maar overal ter wereld: de Mexicaanse griep, de nieuwe sluipende killer. Eerst was er nog een sprankje hoop dat het griepvirus voorbij zou gaan, maar het werd een heuse pandemie. Elke avond maakten de geleerden in ons land ons bewust van de gevaren. Vooral zwangere vrouwen werden gewaarschuwd. In Engeland werden ze zelfs gesommeerd om binnen te blijven. We moesten het niet te licht opvatten. Het was nog niet zo ernstig, maar de voorspellingen waren uiterst somber. De Nederlandse regering sloeg griepremmers in, maar helaas niet genoeg voor alle zwangere vrouwen en andere risicogroepen. Mensen sloegen als gekken flessen water in, voor als de schappen in de supermarkten door te veel zieke vrachtwagenchauffeurs en vakkenvullers leeg bleven. We mochten God op onze blote knieën danken voor elke dag dat we nog elektriciteit hadden. Want door onze premier werden we keer op keer met onze neus op de feiten gedrukt: alles was nu eenmaal mensenwerk. En nu was de mens in gevaar. We kregen peperdure folders in de bus met de waarschuwing dat we na elke stap die we buiten hadden gezet onze handen moesten wassen. Deurkrukken moesten voortdurend worden gereinigd. Liever tijdelijk geen handen schudden, laat staan drie kussen op de wang. En ging je naar de bioscoop of andere ruimten waar veel mensen dicht op elkaar zaten, dan riep je het over jezelf af.

Scholen waar maar een paar kinderen ziek waren, werden gesloten. Het was alsof de pest was uitgebroken. En uitgerekend nu wilde onze dochter zwanger worden.

Ik keek elke dag op de site van het ministerie van Volksgezondheid. Ik hoopte zo dat Masja erover zou beginnen.

'Moeten we hen niet waarschuwen?' vroeg ik aan Elles toen Masja er niets over zei.

'Voor die griep?' vroeg Elles.

'Misschien weten ze het niet,' zei ik. Het kon.

Mas en Edgar waren jong en onbevangen. 'Als ze zwanger is en ze krijgt die griep,' zei ik, 'dan is het link. Dan is het onze schuld, omdat we niks hebben gezegd. Ze verwachten dat de griepgolf aan het eind van het jaar voorbij is. Dan wachten ze toch gewoon even? Het gaat wel om een leventje.'

'Er is nu toch een vaccin?' zei Elles.

'O ja? En wat is de uitwerking daarvan op een foetus? Dat weten ze niet.'

Ik vroeg het voorzichtig toen we bij hen aten. 'Hebben jullie al aan de Mexicaanse griep gedacht?'

'O jee,' zei Masja. 'Ik hoor het al.'

'Ik wil je niet bang maken,' zei ik. 'Maar je moet het wel weten.'

'Zou jij het niet durven?'

'Ik zou altijd wachten,' zei ik. 'Maar ik snap best dat jullie er anders over denken.' Waarschijnlijk had ik me er vroeger ook niets van aangetrokken. Dat hoort bij de jeugd, anders durfden ze nergens aan te beginnen. Ik klonk nu al als een oma en ik was het nog niet eens. Mas was nog niet eens zwanger. Maar toch wilde ik het toekomstige vruchtje beschermen.

'Ik hoor het al, mamsie, je vindt het echt eng, hè?' Mas keek Edgar aan. 'We zullen er nog eens over nadenken, toch?'

Edgar knikte.

De volgende dag belde ze op. 'We stellen het uit.'

Uiteindelijk was de angst voor de griep voorbij, maar de biënnale ook.

VIER

Iedereen die ik tegenkwam kreeg het te horen: 'We worden oma!' En ze reageerden allemaal hetzelfde: 'Jullie gaan genieten, let maar op. Het is zo'n geschenk!'

Dat hoefden ze mij niet te vertellen.

Toen de eerste roes voorbij was drong het langzaam tot me door. Ik ben zestig, als mijn kleinkind wordt geboren ben ik eenenzestig. Natuurlijk had ik allang gemerkt dat ik ouder werd. Ik schreef altijd heel snel. Zonder op te kijken werkte ik de hele dag door. Ik had een prachtige werkkamer, hij lag heel idyllisch, met uitzicht op de tuin. Vanaf mijn kamer keek ik zo in onze schitterende vijver die in de zomer vol stond met waterlelies. Maar ze hadden me net zo goed in een kast kunnen zetten, ik zag toch niks.

Ik schreef alles met de pen. De computer was niks voor mij. Ja, om het verhaal in te typen als het klaar was, maar niet om te schrijven. Ik hield van de beweging van mijn hand op het papier. Als kind schreef ik altijd zogenaamd op het tafelkleed. De laatste jaren begon mijn hand zeer te doen. Een stekende pijn trok door mijn pols langs mijn arm omhoog. Ik nam het voor lief. Maar sinds kort trilde mijn hele lichaam. Mijn hand kon de snelheid van mijn hersenen niet meer bijhouden. Als een oudje zat ik schokkend en trillend achter mijn bureau. Ik kon niet eens meer de hele dag werken. Ik moest het rustiger aan doen, dat realiseerde ik me wel. Met dat besef kon ik best leven. Ik schreef vroeger tweeduizend woorden per dag. Ik was al overgegaan op vijftienhonderd. Over een poosje moest ik waarschijnlijk met duizend woorden genoegen nemen. Geen punt, dan duurde het wat langer. Ik was niet zoals Elles, die ook zestig was en zich vierenveertig voelde.

Ik dacht dat ik nog zeeën van tijd had. Maar hoe lang zou ik dit kind zien opgroeien? Ik werd me ineens zo bewust van mijn eigen eindigheid. Ik wil mijn kleinkind groot zien worden, maar dat het een gezin sticht, zal ik niet meer meemaken. Ik mag hopen dat ik nog leef als het zijn eindexamen doet. Of over het eerste vriendje of vriendinnetje vertelt. Dat is wat ik wilde: dat het altijd bij zijn oma terechtkon. Zo ben ik nu eenmaal. Mijn dierbaren moeten altijd bij me terechtkunnen. Toen mijn dochters net op kamers waren, belden ze me regelmatig. Zelf zat ik dan na een hele dag lezingen en interviews te hebben gegeven hyperventilerend in de auto. Maar ik hing nooit op. Ze mochten net zolang over hun zorgen praten tot ze rustig waren. Soms reed ik dan langs Amsterdam om er een op te halen. 'Ik neem je wel mee naar huis, schat,' zei ik dan. De rest van de avond probeerde ik oplossingen voor mijn kind te bedenken. Tegen de tijd dat ik naar bed ging, gonsde mijn hoofd en zag ik sterretjes. Geen punt. Voor mij hoort dat bij het moederschap. Dat wil ik voor mijn kleinkind ook. Wat zijn ouders niet lukt, daar is oma voor. Een onderzoek onder honderdjarigen heeft uitgewezen dat ze de tijd tussen hun zestigste en zeventigste levensjaar als prettigst hadden ervaren. Als ze een periode over mochten doen, dan was het wel deze. Ik was het er helemaal mee eens. Ik hoefde me niet meer zo druk om mijn carrière te maken, ik vind dat ik genoeg heb bewezen. Maar het mag dan weliswaar de mooiste periode zijn, het is wel te kort. Hoe lang ik ook nog zou leven, het zou altijd te kort zijn. Ik dacht dat ik mezelf onsterfelijk had gemaakt als schrijver. Wat een onzin! Wat had dit kind aan die zeventig of misschien tachtig boeken als hij niet eens meer een oma had om naartoe te

gaan? Mijn ouders waren niet ouder dan vierenze-
ventig geworden. Stel dat ik ook niet ouder dan vie-
renzeventig zou worden, dan was mijn kleinkind
dertien. Een puber, die ruzie met zijn ouders krijgt en
niet bij zijn oma terechtkan.

Mijn zus en ik kregen het vroeger bijna elke dag wel
een keer van mijn moeder te horen: 'Denk erom, ik
pas nooit op jullie kinderen. Ik heb mijn portie wel
gehad met jullie.' Ze had zich aan haar woord gehouden. Ze heeft niet één keer opgepast. Ze kwam wel
regelmatig naar ons toe, want zondags wist ze niet
wat ze moest beginnen. Vooral niet als het regende.
'Wil je wel geloven dat de muren op me afkomen,'
zei ze dan. Maar met de kinderen spelen deed ze niet.
'Jullie zijn lief, schatjes,' zei ze tegen onze dochters.
'Maar kom niet te dicht bij oma met jullie plakhandjes. Oma heeft haar zondagse kleren aan.'
    Ik heb me daar altijd aan doodgeërgerd, en nu ik
zelf oma word, begrijp ik er helemaal niets van. Ik
ben van plan een vaste dag in de week op te passen
en daar verheug ik me nu al op. En het kleintje moet
ook bij ons terechtkunnen, met plakhandjes en al.
    Ik liep door ons huis. Van een slaapkamer hadden
we een badkamer gemaakt. Nu baalde ik ervan. Het
was een prima kinderkamertje geweest. Behalve

onze slaapkamer was er nog maar één kamer over, de logeerkamer. Dit was de beste plek.

'Wel één nadeel,' zei ik tegen Elles. 'Als er iemand logeert en het kleintje is bij ons, wat dan? Ik wil zo graag dat het zijn eigen kamertje heeft.'

'Dat hebben we dus niet,' zei Elles.

'We hebben nog wel onze oude badkamer,' zei ik. 'Is dat niks?'

'De badkamer?' riep Elles. 'Wil je daar een kinderkamer van maken? Dat is een gigantische verbouwing!'

'Weet je het zeker?'

'Ja. Ik snap trouwens niet waarom je je zo druk maakt. Voorlopig heb je geen kamertje nodig. Als het zo klein is, ligt het bij ons.'

Ik hoorde het al, voor Elles was het appeltje-eitje, maar ik wilde alles goed voorbereiden. In elk geval hadden we een ledikantje nodig. Ik dacht aan vroeger, toen onze kinderen klein waren. Een commode, aankleedkussen, badje, wipstoeltje. Mas kon het toch niet allemaal meenemen als ze langskwam? Ze hadden niet eens een auto!

'We hebben heel wat nodig,' zei ik tegen Elles, die alweer met iets anders bezig was.

'Waarvoor?'

'Voor ons kleinkind.'

'Nu toch nog niet,' verzuchtte Elles.

'Wel op tijd,' zei ik.

'Dat zien we wel als de baby er is. Je hebt de spullen zo gekocht.'

'O ja? Ga jij maar een kinderwagen kopen, die heb je niet zomaar. Tegenwoordig moeten ze alles bestellen, het duurt maanden.'

'Een kinderwagen? Waar heb je het over? Die krijgt ze toch van ons?'

'En hoe komt ze dan de tram en de trein in en uit met haar baby in een kinderwagen?'

'Ik hoor het al, als ik jou was zou ik een hele baby-uitzet aanschaffen.'

'Dat moet ook, ik wil dat het kamertje helemaal in orde is.'

'Onze logeerkamer? Dus iedereen die bij ons komt logeren ligt in een babykamer, bij een commode en een ledikantje.'

'Dan zetten we het ledikantje in onze slaapkamer.'

'Geen sprake van!' zei Elles. 'Ik ga echt niet elke avond als ik naar bed ga tegen een ledikantje aan kijken. Alsjeblieft, zeg. Wij krijgen geen baby, Mas krijgt een kind.'

'We worden oma!'

'En omdat we oma worden moet er een ledikantje

in onze slaapkamer? Zo meteen zet je nog een box in de woonkamer.'

'Die kleine moet toch een bedje hebben.'

'Neem een kampeerbedje, dan klappen we het in en zetten we het op zolder als hij er niet is. In mijn slaapkamer komt geen ledikantje. Dan weet je dat vast.'

'Mijn kleinkind gaat niet in een kampeerbedje. Jezus, ik dacht dat het fijn was dat we oma werden. Als je nu al zeurt over een bedje, hoe moet dat dan straks? We hebben nog veel meer nodig. Wat dacht je van een kinderstoel?'

'Nu al? Het is een embryo van zes weken. Jij bent echt gek. Ga alles maar vast kopen, luieremmers, naveldoekjes. Zo meteen komt de kraamzorg met zeven maanden bij jou kijken. Mijn vrouw wordt oma en ze is helemaal knetter.'

'Jij bent net een opa,' zei ik boos.

'Ja hoor, ga een Blije Doos halen bij Prenatal,' riep Elles, en ze liep nijdig de tuin in.

Mijn mobieltje ging. Het was Masja.

'Mam, zijn er enge ziektes in onze familie?'

'Hoezo?'

'Dat moet ik weten, het staat op de site.'

'Volgens mij niet. El, zijn er enge ziektes in jouw familie?' riep ik naar buiten.

'We zijn allemaal licht gestoord, maar verder niet.'

'En bij Hans?' vroeg Mas. 'Epilepsie?'

'Nee.'

'Hartafwijkingen?'

'Nee.'

Ik kreeg een hele lijst te horen en overal antwoordde ik nee op.

'Weet je het zeker?' vroeg ze nog.

'Nee, maar Hans had nooit iets.'

'Oké dan. Kus.'

Twee minuten later ging de telefoon weer.

'Heb ik rodehond gehad?'

'Ik denk het wel.'

'Ja, denken, daar heb ik niks aan, je moet het zeker weten.'

'Jullie hebben het vast gehad.'

'Doe nou even serieus. Heb ik het gehad of niet? Als ik het nu krijg en het is een jongetje, dan wordt het onvruchtbaar.'

'Mas, ik weet het niet meer.'

'Ik hoor het al, dan laat ik wel bloed prikken.' Mas hing op.

Ik keek naar Elles, die met een schepnet blad uit de vijver viste.

'Laat maar!' riep ik. 'De vijver moet toch leeg. Dat wordt een zandbak.'

VIJF

Masja had een babysite ontdekt waarop we weke-
lijks de groei van ons kleinkind konden volgen. Ze
was bij ons op bezoek en klikte de site aan. Ik keek
naar het piepkleine vruchtje.

'Het is al zeven millimeter.' Mas liet met haar
vingers zien hoe klein het was. Ze las voor wat er
de komende week ging gebeuren. Er kon bloedverlies ontstaan door het innestelen. Gelukkig stond
eronder dat er geen enkele reden tot ongerustheid
was.

'Had jij bloedverlies, mam?' vroeg ze aan Elles.

'Nee,' zei Elles.

Mas zuchtte opgelucht. Ze kroop zowat in de pc.
'Zo ziet Jip er dus uit.'

'Heet het Jip?' Ik wist waar dat vandaan kwam.
Edgar, die pas een jaar hier was, sprak goed Neder-
lands, mede dankzij *Jip en Janneke,* dat hij samen
met Mas had gelezen.

'Kan Jip ook voor een meisje?'

'Natuurlijk,' zei ik. 'Wij kenden een vrouw die Jip heette.'

'Jip van den Berg,' zei Mas. 'Klinkt goed, toch?'

'Geen Walthert?' vroeg ik.

'Nee, Edgar wil niet dat zijn kind een Duits klinkende achternaam krijgt.'

Jip van den Berg dus. Masja wilde vroeger Slee heten. Duizenden keren had ze zich op de basisschool moeten verdedigen. Is Carry Slee echt jouw moeder? Hoe kan dat nou? Jij heet toch Van den Berg?'

Daarom had ze zich op de middelbare school meteen ingeschreven als Masja van den Berg-Slee.

Het bleef altijd een beetje pijn doen. Ze was ook mijn kind, maar ze kwam uit Elles' buik.

Toen we jong en net samen waren, wilde Elles ook Slee heten. Ik was haar grote liefde en beschermer. Maar toen mochten lesbische vrouwen nog niet trouwen. Later wel, maar dat had voor ons geen enkele zin meer. Mas was al volwassen toen de wet erdoor kwam, en zou dan toch mijn naam niet meer mogen dragen. En Elles was inmiddels zo zelfstandig geworden dat ze er niet meer over piekerde om haar achternaam voor Slee in te ruilen. Was die wet er maar eerder gekomen. Ik herinner me nog dat Mas was geboren. De volgende dag reed ik naar het gemeentehuis in ons dorp. Ik kwam er wel vaker. Achter het loket werkte maar één ambtenaar. Hij zat meestal achter een opgeruimd bureau. Het was nog nooit gebeurd dat er iemand voor me was. Ook toen kon ik zo doorlopen. Trots stond ik daar. Dit was wel even iets anders dan een rijbewijs verlengen of een paspoort aanvragen.

'Ik kom mijn dochter aangeven.'

De man, die half in slaap was gesukkeld, stond op en slofte naar het loket. 'Wat kan ik voor u betekenen?'

'Ik kom mijn dochter aangeven.' Het liefst had ik hem erbij verteld dat ze een prachtige baby was, zesenhalf pond woog en kerngezond was. Maar ik hield me in.

Hij rommelde ongeïnteresseerd in een la en haalde er een formulier uit. 'Wanneer is ze geboren?'

'Gistermiddag.'

Hij liet zijn pen vallen en staarde me aan. 'En u staat nu hier?'

'Mijn partner is een vrouw,' legde ik uit.

'Aha.' Hij legde het formulier terug in de la. 'Het is uw kind helemaal niet. De moeder moet het aangeven, of de vader.'

'Er is geen vader. Wij zijn twee moeders met kinderen.'

'Hoe bedoelt u?' Zo te zien had hij nog nooit van

andere samenlevingsvormen gehoord. Zijn mond viel open.

'Schrijft u haar nou maar in,' zei ik geërgerd. Maar de man maakte geen enkele aanstalten. Hij verdomde het Mas in te schrijven.

Dat vond ik het ergst, dat hij het verdomde. Ik was niet van plan weg te gaan voor mijn kind in de burgerlijke stand was bijgeschreven. Al moest ik het zelf doen.

'Ik kan haar niet inschrijven,' zei hij droog. 'Wat ik al zei, dat moet de moeder doen.'

'Ik ben haar moeder, verdomme!' riep ik. Ik was in staat hem over de balie van het loket heen te trekken. Op mijn werk had ik ook al geen verlof gekregen. De directeur op de school waar ik lesgaf zag geen enkele reden mij vrij te geven voor de bevalling van een kind van 'een vriendin'.

Ik had me ziek gemeld toen de weeën begonnen. En vandaag ook weer, op deze feestelijke dag nog wel.

Ik sloeg met mijn vuist op de balie. Zijn bril trilde op zijn neus. 'Schrijf haar in, verdomme. En snel.'

Hij pakte een pen. 'Voornamen?'

'Masja.'

'Meer niet?'

'Nee, ze heet Masja. Masja van den Berg.'

'Ik heb een spaarrekening voor Jip geopend,' zei Masja. 'Dan kan het van dat geld studeren als het achttien is. Ik maak elke maand honderd euro over.'

Ik keek naar het priegelige ding op het scherm. Zeven millimeter, stond er. Gewicht nul. En zijn moeder zorgde nu al voor zijn toekomst.

'Kun je die honderd euro wel missen?'

'Ik wil het,' zei ze. 'Ik wil dat het een mooie toekomst krijgt.'

Ik vroeg me af hoe ze het deed. Haar kunst had tot nu toe niets opgebracht. Ze werkte twee dagen per week in een soort speelgoedwinkel. Zeven euro vijftig per uur kreeg ze daar. En Edgar was net voor zichzelf begonnen. In de crisisperiode.

'Eigenlijk is het beter om honderdvijftig per maand weg te zetten,' zei ze. 'Maar dat is te veel.'

Ik keek naar haar. De liefdevolle blik waarmee ze naar de site keek. Het lag op mijn lippen om te zeggen: 'Kind, hou dat geld lekker. Die twintigduizend euro waar je je achttien jaar rot voor moet sparen krijg je wel van ons. Maar ze moest zelf voor haar kleintje zorgen. Hoe lang zal ze hebben gerekend? Hoeveel blocnotevelletjes volgekrabbeld? Honderdvijftig per maand? Nee, te veel. Honderdtwintig misschien? Honderd ging net. Waarschijnlijk zou ze zich van alles moeten ontzeggen, maar ze deed het met liefde, zag ik. Dat mocht ik haar niet afnemen.

ZES

Tien weken zwanger. De hormonen gierden door Masja's lichaam. Ze zag asgrauw van ellende, maar Edgar ook.

We werden dagelijks op de hoogte gehouden van de uitbarstingen.

Zij was vierentwintig uur per dag beroerd en hij kon gewoon doorleven.

Haar kunst stond al wekenlang noodgedwongen op non-actief en hij kon zijn bedrijf gewoon opbouwen. Terwijl het toch ook zijn kind was.

De boodschappen moest hij doen. Dat was toch het minste wat ze van hem mocht verwachten. Als ze de supermarkt in ging, werd ze alleen al van de geur van eten kotsmisselijk.

Dat hij vrienden te eten wilde vragen was best, maar wel zonder haar. Ze lustte niks, was zichzelf niet en was doodmoe. En waarom moest zijn zus uitgerekend nu komen logeren? Zijn ouders waren ook al geweest. Ze wilde rust.

Hun wekelijkse bioscoopavond ging ook niet meer door. Of wilde hij soms dat ze midden onder de film ging kotsen?

Ze had gedacht dat ze samen zwanger zouden zijn. Hij wilde toch vader worden? Maar daar merkte ze helemaal niks van. Het enige wat hij deed was af en toe vragen hoe het ging, en als zij dan in woede uitbarstte en zei dat ze er gek van werd en het niet meer trok, luisterde hij maar half. Tenminste, daar leek het volgens haar op.

Als ze er toch alleen voor stond, dan deed ze het ook wel helemaal in haar eentje. Ze kon echt wel zelf voor haar baby zorgen. Ze was geen afhankelijk tutje, als we dat soms dachten.

Nee, dat dachten we niet.

En die babysite kon haar helemaal gestolen worden. Dat je je zo beroerd kon voelen stond nergens vermeld. Dat vond ze nog het ergst. En ze ergerde zich blauw aan die domme dozen die met elkaar op de site aan het chatten waren. Die waren zogenaamd zo happy. Ze geloofde er geen bal van.

Ik was blij dat ze zelf met die babysite aankwam.

'Er bestaat een prachtig boek,' zeiden wij. '*Het grote wonder.*'

Toen Elles en ik zwanger waren was het ons lijfboek. We keken er elke dag in. We hadden een exemplaar voor Mas besteld bij bol.com en het naar haar toe laten sturen.

'En?' vroegen we toen ze belde dat ze het boek had ontvangen.

'Mijn god, mam, wat een foto's. Het stamt wel uit de oertijd. Die vrouwen met hun benen open. En die van pijn doortrokken gezichten als ze persen. Dat wil je toch niet zien. Ik word er bang van.'

'Is het zo erg?'

'Mam, ze hangen met hun benen in beugels. Dat is iets wat ik nooit ga doen. Ik ga niet met mijn benen in die enge dingen. Vond jij die foto's dan niet eng?'

'Ik heb altijd genoten van dat boek,' zei ik. 'Misschien keek ik daar niet naar.'

'Zag je dat niet? Het hele boek staat er vol mee.'

Het was mij zelfs nooit opgevallen. Ik keek alleen naar de foetus die elke week groeide. 'Kijk er dan maar niet meer in,' zei ik.

'Ik ben zo ziek,' zei Mas. 'Weet je nog hoe ik was toen ik pfeiffer had? Zo voel ik me nu.'

'Heb je dan geen pfeiffer?'

'Wat nou pfeiffer? Ik ben zwanger.'

Van ellende zat ze vaak jankend op de bank. Ze werd er gek van. Terwijl ze aan haar kunst moest. Ze deed een mastersopleiding. Ze had in het voorjaar een tentoonstelling. Ze had juist gedacht dat het een geweldige combinatie was, zwangerschap en kunst. Ze wilde zichzelf filmen als aanstaande moeder. Ze wist zeker dat het haar zou inspireren. Ze had al allerlei ideeën voor haar tentoonstelling. Kon zij weten dat het zo zou gaan. Ze voelde zich doodziek. Eigenlijk wist ze niet meer waarvoor ze dit allemaal had gedaan. Hoe kon ze zo haar opdracht maken? Ze moesten iets bedenken over dieren die door de mens werden uitgebuit.

Mas belde om te vertellen dat ze organen op de markt had gekocht voor haar filmpje. Ze wilde laten zien hoe dieren aan de cosmetica werden opgeofferd.

'Pas je wel op!' zei ik. 'Het is rauw vlees, hè?' Want het was haar bedoelding die stukken vlees op haar gezicht te leggen. Ze had al eerder een filmpje gemaakt waarin haar eigen hoofd tussen afgesneden schapenkoppen lag.

Het kunstwerk was gelukt, dat hoorden we toen we 's avonds met hen in een restaurant zaten. We hadden net het eten besteld. Ik zag het al aan Mas, ze had geen trek.

'Weet je waar ik me nou dood aan erger?' zei ze. 'Dat iedereen maar denkt dat-ie aan mijn buik mag zitten. Ik ben zwanger en ze denken allemaal dat ik openbaar bezit ben. O, wat mooi, zeggen ze. Maar hoe kunnen ze dat nou zeggen? Ik vind het helemaal

niet mooi. Ik bedoel, hoe ik me voel. Ik voel me zo
kut. Ik kan niks meer, ik ben mezelf kwijt.'

'Je kunstwerk ging wel, toch?'

'Eigenlijk zijn wij alleen maar organen en bloed,'
zei ze.

Het hoofdgerecht werd net uitgeserveerd.

'Snappen jullie wat ik bedoel? Wat zit er nou in
mijn buik? Je kunt wel denken dat er een lief
baby'tje in zit, maar in feite is het een stuk vlees,
een bloederig stuk vlees. Meer niet. Net als die organen die ik vandaag in mijn hand hield. Ineens wist
ik het. Zoiets is het.'

'Nou, Mas, het is geen orgaan. Het is een foetus.'

'Mag ik het soms niet eerlijk zeggen? Als ik het
nou zo voel? Ik heb een klomp vlees in mijn buik
met een paar botjes erin. Er is geen verschil. Het is
toch nog niks?'

Ik keek naar de entrecote op mijn bord. De ober
had gevraagd hoe ik hem wilde hebben. Rood, had ik
gezegd.

'Jullie snappen het niet, hè?' zei ze. 'Vlees en
bloed, meer is het niet.'

'Je hebt het over ons kleinkind,' zei ik.

'Ja, daarom zeg ik het ook. Het is ook mijn eigen
kind. Je kunt er wel lyrisch over doen en jezelf van
alles wijsmaken, maar het is wel zo.'

Elke dag tijdens mijn meditatie dacht ik aan de foetus in Mas' buik. Ik zag een heel lief klein baby'tje voor me. Alles zat er nu bijna aan. Ik wenste het geluk en dat het zich veilig en geborgen mocht voelen. De gedachte aan dat kleine baby'tje ontroerde me. En nu kreeg ik van mijn dochter te horen dat mijn kleinkind een klomp rauw vlees is.

'Laat maar,' zei Mas. 'Jullie snappen het toch niet.' Ze moest bijna huilen. Ik zag Edgar ook naar zijn tournedos staren.

Mas schoof haar bord weg. 'Ik heb niet zo'n trek,' zei ze.

Nee, wij wel, nou goed.

ZEVEN

'Kijk eens!' Elles was wezen shoppen en haalde een boek uit haar tas.

'Een boek voor opa's en oma's!' riep ik verrast. 'Super.'

'Er stond een vrouw naast me in de boekwinkel, ook een oma,' zei Elles. 'Volgens haar stonden er heel goede dingen in.'

Nog geen minuut later zaten we met het boek naast elkaar op de bank.

'Het ziet er wel heel tuttig uit,' zei ik.

'Daar moet je doorheen kijken,' zei Elles. Ze begon hardop voor te lezen.

Het eerste hoofdstuk ging over de euforie als er een kleinkind op komst was.

Dat hoefden ze ons niet te vertellen.

'Een beetje gezemel.' Elles bladerde het boek door. 'Hier, tips voor kersverse grootouders.'

'Kijk,' zei ik. 'Dat is wat we zoeken.'

Elles begon weer voor te lezen.

'Tip 1: niet aandringen om op bezoek te mogen komen. Dat kan problemen geven. Tip 2: bemoei je niet ongevraagd met hoe het kindje gaat heten. Tip 3: vraag wat de ouders van de baby graag willen hebben, in plaats van zomaar iets te kopen. Tip 4: bemoei je niet met de opvoeding. Tip 5: respecteer vooral hoe de ouders het doen en wat ze willen.'

Respect, daar ging het om. En je mocht je dus nergens mee bemoeien. We hadden de boodschap begrepen. Kop dicht dus, gewoon genieten vanaf de zijlijn.

'Gelukkig zijn wij geen bemoeials,' zei Elles.

'Nee, echt niet.'

'Slaap jij al?' vroeg ik 's nachts aan Elles nadat we bij Masja en Edgar waren geweest.

'Die trap,' verzuchtte Elles. 'Ik lig maar aan die trap te denken.'

'Een open trap met een kleintje,' zei ik. 'Die kinderen zijn watervlug. Als Mas en Edgar even niet opletten kruipt het kleintje er zo naartoe. Er moet een hekje komen. Die dingen koop je zo, kant-en-klaar. Is dat bemoeien? Als we zo'n hekje voor ze kopen?'

'Ik denk het wel,' zei Elles.

'Op de deur naar het dakterras moet ook een slot,' zei ik. 'Er zit nu alleen een schuif op. Dat kind heeft zo door hoe die deur open moet en dan staat het wel buiten. Drie hoog wonen ze.'

'Er zit wel een hek omheen,' wist Elles te vertellen.

'Maar als hij in de plantenbak gaat klimmen? Edgar deed ook van die gevaarlijke dingen vroeger. Hij klom overal in en op. Daar in Zwitserland kon dat geen kwaad. Ze woonden buiten. Als je uit een boom valt, lig je op het gras. Maar drie hoog in Amsterdam is wel iets anders.'

'Een slot is de oplossing,' zei Elles. 'Een fluitje van een cent. Wat kost dat nou? Edgar zet het er zo in. Of denk je dat dat ook...'

'Ik ben bang van wel,' zei ik.

'Dat vind ik wel erg ver gaan,' zei Elles. 'Dat is toch geen bemoeizucht? We geven alleen goede raad.'

'Dat schrijven ze juist in dat boek,' zei ik. 'Weet je nog? Geen goedbedoelde adviezen geven. Trouwens, dat dakterras is helemaal linke soep. Voor Mas, bedoel ik. Dat hout op de vloer wordt spekglad als het heeft geregend. Ze moet daar niet uitglijden met haar dikke buik. Maar eh... we mogen het niet zeggen, zeker?'

'Nee,' zei Elles.

'We mogen toch wel iets zeggen? Als we dan toch

iets zeggen, dan zou ik willen dat er strips op die gladde, geverfde treden van de open trap komen.'

'Dat mag dus niet,' zei Elles.

'Dan geen strips,' zei ik. 'Maar ze moet dus nooit op sokken naar beneden gaan als ze de baby draagt.'

'Wil je dat zeggen?' vroeg Elles. 'Dan bemoei je je er toch mee.'

'Het is voor haar eigen bestwil,' zei ik.

'Dat kan wel zijn, maar ik denk dat we onze mond moeten houden. Ik ga slapen,' zei Elles. 'Het komt wel goed.'

'Natuurlijk komt het goed. Welterusten.'

Na een tijdje zei Elles: 'Heb jij die stoep gezien? Die is daar op zijn smalst. Het is sowieso een heel smalle straat. Ik zag laatst een auto die over een stuk van de stoep reed omdat hij er niet door kon. Het is daar loeidruk. Vind jij dat trouwens wat, een bak-fiets? Kunnen we haar geen zitje voor op de fiets geven?'

'Dus toch bemoeien.'

'Een cadeautje, mag dat ook al niet meer?'

'Ze zijn niet gek,' zei ik. 'Maar stond er nou echt dat we helemaal nergens iets over mochten zeggen?'

'Ja, dat stond er inderdaad. Als je geen spanningen wilt, moet je je mond houden.'

'Dus die scherpe messen in de keuken...?'

'En dat automatische slot van de voordeur...?'

'En dat ze ons kleinkind niet zomaar onbeheerd in de kinderwagen moet laten staan als ze de boodschappen naar boven brengt...?'

'En dat ze de kleine absoluut twee dagen per week naar een crèche brengt zodat ze tijd voor haar kunst heeft...? Anders wordt ze gek. Dat mogen we wel zeggen. Zeven dagen per week fulltime voor je baby zorgen is killing.'

'Zes dus,' zei ik. 'Eén dag doen wij.'

'Zes is al veel te veel.'

'Ze moet niet meteen een tweede nemen,' zei ik. 'Laat ze eerst kijken hoe het is om één kind te hebben. Sorry hoor, maar ik vind het onze plicht om dat te zeggen. Ze bedoelen toch niet dat je je eigen kind maar moet laten zwemmen.'

'Dat bedoelen ze dus wel. Al doende leert men,' zei Elles. 'Zoiets.'

'En wat zeggen we dan later als het misgaat? We wisten het wel, maar het stond in een boek dat we je niet mochten waarschuwen. Wie is die schrijver eigenlijk? Als we dan toch iets zeggen,' ging ik verder, 'dan vind ik dat ze een poes moeten nemen. Of een konijn. Dat kind moet toch met dieren opgroeien?'

'Dat vind ik dus echt bemoeien,' zei Elles. 'Dat moeten zij toch weten?'

'Oké, dan niet. Maar die stopcontacten in de kamer moeten wel veilig worden gemaakt. De draden liggen gewoon op de vloer.'

'Het gaat ons geen bal aan, schat,' zei Elles.

'Maar als ik oppas, dan plak ik ze af.'

'En strips op de trap en een slot en... Die ene dag verbouwen we het hele huis,' zei Elles lachend. 'Gelukkig bemoeien we ons verder nergens mee. We gaan alleen genieten.'

'Maar sinds we oma zijn slikken we wel slaappillen. Het komt allemaal door dat boek,' zei ik.

'Wat een rotboek. Daardoor ga je juist aan al die dingen denken. Morgen smijt ik dat boek weg. Vroeger maakten we ons nooit zorgen over die dingen. Het is ook helemaal niet nodig. Mas kan het prima zelf.'

ACHT

Edgar ging naar Berlijn. Hij ging wel vaker terug naar zijn oude baas. Hij moest wel, want er stond geen cent meer op zijn rekening. Zijn oude baas had een groot ontwerpbureau in het centrum van de stad. Hij had altijd wel werk voor Edgar. Het ging Edgar niet alleen om het geld, hij leerde er ook veel en hij wilde het contact warm houden, in de hoop dat hij een keer een opdracht kreeg die hij dan in Nederland kon doen.

Mas kwam bij ons logeren. Vier nachten. Mas en ik zeiden het telkens tegen elkaar als we belden: 'Gezellig, hè?' Ze verheugde zich erop. Even weg uit het huis waar ze al elf weken opgesloten zat omdat ze zo ziek van de hormonen was. En wij vonden het heerlijk. Onze zwangere dochter zo dicht bij ons, zodat we haar lekker konden verwennen. Het was altijd zo gezellig met Mas. Ze kon genieten van alleen maar knus bij elkaar zijn. Een boodschapje doen, lekker eten maken, van alles in huis halen en een beetje kletsen. Ze had een groot talent om tevreden te zijn met het leven van alledag. Toen ze klein was hoefde ze niet zo nodig op vakantie. Mas hield van het vertrouwde. Elke dag maakte ik een wandelingetje met haar met de poppenwagen. Dan was haar dag goed. De intimiteit van samen dat wandelingetje maken, daar hield ze van. Dat was altijd zo gebleven. Voor haar hoefde je niet per se weg. Met haar kon je juist heerlijk onderuitgezakt op de bank naast elkaar zitten. Geen ingewikkelde gesprekken, een beetje onzinpraatjes en vooral veel lachen. Want als er iemand het leven relativeerde was zij het wel.

Toen ze nog thuis woonde, gingen we weleens met zijn tweetjes een weekend naar Center Parcs. Dat vond ze geweldig. Samen in een huisje, snoep kopen op de Plaza en dan met een zak drop en chips voor de video. Zodra we terug in het huisje waren gingen de pantoffels aan.

Gewoon lekker samen zijn. Mas en ik leken in dat opzicht op elkaar.

Elles en ik hadden toch een paar plannetjes gemaakt voor als Mas kwam logeren, zoals babywinkels bezoeken. Dat had ze tot nu toe nog niet gedaan en ze wilde het wel graag.

Elles haalde Masja van de trein. Ik keek uit naar de foto van de echo die ze die week had laten maken.

Voor het eerst had ze haar baby gezien. Ze had meteen gebeld. 'Mam, zoiets doet wat met je, ik moest
huilen.'

Toen ik zwanger was hadden ze nog geen echo's.
Nadja lag overdwars. Later bleek het een stuitligging
te zijn. Een gynaecoloog probeerde haar nog met
geweld te draaien, maar het ging niet. Later bleek
dat de navelstreng om haar nek zat. Hadden ze toen
maar kunnen kijken, want ze was bijna gestikt. Nu
had je zelfs pretecho's. Voor honderdvijftig euro
kreeg je je baby te zien.

Een halfuurtje later hoorde ik een auto de oprit op
draaien. Ik schrok toen Mas even later binnenkwam.
Wat zag ze eruit! Zo broos, en ze zag helemaal groen.
Ze slofte vermoeid naar de serre.

'Ik heb iets voor je.' Ze haalde het fotootje tevoorschijn. Ik keek ernaar en kreeg tranen in mijn ogen.
Mijn god, dit was nog maar het begin en ik was nu
al zo sentimenteel. Hoe moest dat straks als ik mijn
kleinkind over zeven maanden op Mas' buik zag liggen? Ik gaf een kus op de foto en nam hem meteen
mee naar boven. Deze foto kwam in mijn mediteer-
kamertje te staan, naast de boeddha.

Elles had de tafel gedekt. Hij stond vol lekkernijen
waar Masja zo van hield. Ik zag hoe Mas ernaar keek.
Ze lustte niks. Ik dacht aan mijn eigen zwanger-

schap. Ik had elke dag zin in patat met een dikke klodder mayonaise en een hazelnoottaartje. En ik vond dat ik het mocht nemen ook. Tot ik bij de vroedvrouw kwam en ik te zwaar bleek te zijn. Vanaf dat moment moest ik elke dag kiezen van mezelf: of patat of het hazelnoottaartje. De keer erna hoefde ik helemaal niet meer te kiezen. Ik werd op dieet gezet. Ik was te zwaar en mocht niet meer snoepen.

Mijn moeder was ook aangekomen toen ze zwanger was. En de moeder van Elles ook. Vroeger dachten ze nog dat je voor twee moest eten. Je echtgenoot, je zussen en de mensen uit de straat zeiden het allemaal: 'Eten voor twee, hoor!'

Nu mocht je geen gram aankomen.

'Ik mag geen brie,' zei Mas. 'Ik mag geen kaas met rauwe melk, en rauw vlees mag ook niet.'

Geen ossenworst dus en geen filet americain. Ze noemde op wat ze nog meer niet mocht eten.

Geen lever, daar zat vitamine A in.

Geen voorverpakte gerookte vissen. In de verpakking zou weleens een bacterie kunnen gaan broeien.

Geen sushi, waar ze zo dol op was.

Zoethoutthee, daar kun je een hoge bloeddruk van krijgen.

Geen drop, ontbijtkoek en chocola.

En ze moest oppassen met kaneel.

De groenten moesten overdreven goed worden gewassen en sommige theeën kon ze ook beter laten staan.

Het leek tegenwoordig wel of zwanger zijn een ziekte was. En onze ouders en voorouders wisten van niks. Wij waren toch ook allemaal gezond op de wereld gekomen? Ik vond het belachelijk, maar hield me in. Wat een stress. Je durfde bijna niks te eten, alsof dat zo goed voor de baby was.

Mas nam een paar happen van een stuk droog brood. 'Even bij het eten weg,' zei ze toen. Ze ging van tafel en plofte neer op de stoel in de serre. Ineens begon ze te huilen. 'Ik voel me zo rot. Ik ben mezelf kwijt.'

Ik zag het. Sinds ze zwanger was ging het helemaal niet goed met haar. Ik dacht aan het verhaal van mijn schoonmoeder. Haar zus had een kind met het syndroom van Down. Diezelfde zus had al vijf kinderen gebaard, ze wist hoe het was om zwanger te zijn. Bij dit kind voelde ze het vanaf het begin. Ze was negen maanden lang ziek geweest en zag groen, net als Mas. Dit was Mas' eerste zwangerschap. Ze kon het niet vergelijken, maar wij wel! Dit klopte niet. Een beetje misselijk waren we allemaal geweest, maar ze was zo zwak. Vooral geestelijk. Je kon niks zeggen of ze barstte in snikken uit. Elles nam Mas op schoot. Ze schokte van ellende. Wat was er aan de hand?

'Edgar zit gewoon in Berlijn,' snikte ze. 'Die heeft nergens last van. Hij is zomaar weggegaan.'

'Wel voor zijn werk,' zei ik.

'Maar het lijkt wel of het niet tot hem doordringt dat ik zwanger ben. Hij negeert het gewoon.'

'Zo zijn mannen,' zei ik. Ik kende het van al onze vriendinnen. 'Jij hebt de baby elke dag bij je,' zei ik. 'Je voelt het. Maar wat moet een man ermee al die maanden? Mannen beseffen pas dat ze een kind krijgen als ze het in hun armen houden.'

'Hij heeft het alleen maar over zijn werk,' zei Mas.

'Ja, natuurlijk, dat is een oergevoel. Hij wordt vader, hij moet voor het gezin zorgen.'

We probeerden haar op te vrolijken.

'Kijk, Mas, dit heeft Elles voor je gekocht. Stoer, hè?' Ik liet haar een tijdschrift zien waarop een vrouw met een dikke buik stond.

'Was jij maar vast zover, hè?'

'Krijg ik ook zo'n dikke buik?' riep ze angstig.

Elles en ik keken elkaar aan.

'We gaan zo naar een heel hippe babywinkel,' zei ik gauw.

Mas knikte. Ze stond op en liep naar boven om haar schoenen te pakken.

'Het gaat goed,' zei ik tegen Elles. 'Gewoon aflei-den.'

We hadden onze jas al aan toen ze snikkend naar beneden kwam.

'Hij stond verkeerd om.'

'Wat?'

'De foto. Je hebt mijn baby op zijn kop gezet...'

NEGEN

Als een zombie sleepte Masja zich 's ochtends haar
bed uit. Ze deed haar best om niet te laten merken
hoe beroerd ze zich voelde. Ze had zich er zo op ver-
heugd om bij ons te zijn en ze wilde ons niet teleur-
stellen. Maar ze kon er niks aan doen. Ze zag er zo
depri uit, zo verloren. Zo kenden we haar alleen van
vroeger, toen haar verkering net uit was.

In de brugklas had Mas verkering gekregen. Het
had zowat de hele middelbareschooltijd geduurd.
Toen ze in het eindexamenjaar zaten, groeiden ze
uit elkaar. Uiteindelijk ging het uit. Mas was er
kapot van. Als ze dan 's morgens aan het ontbijt zat,
was het op zijn ergst. Hoe moest ze de dag doorko-
men? Ze zag er toen zo verdrietig uit, zo depri. Zo
zag ze er nu ook uit. Hoe kon het dat ze zich zo voelde? Was ze wel gelukkig? Ze wilde graag moeder
worden, nog steeds. We hadden het haar verschillen-
de keren gevraagd. En ze zei elke keer ja. Mas had
een heel ondeugende kant in zich. Dat ondeugende

zag je terug in haar kunst. Het was ook dat deel van haar dat Edgar zo aantrekkelijk vond, dat zagen we altijd. Maar die kant leek nu helemaal verdwenen.

Elles had ook vaak gehuild tijdens haar zwangerschap, maar als het er eenmaal uit was, was het weer over. Bij Mas was dat niet zo. Ze hing als een ziek vogeltje in de stoel.

Ik greep terug op iets wat vroeger altijd werkte als ze ziek of verdrietig was. Ik haalde een boek van Toon Tellegen uit mijn werkkamer en las *De verjaardagen van alle anderen* voor. Ik las zo vrolijk mogelijk voor, op mijn best, alsof ik voor een klas lastige kinderen stond die ik moest zien te vermaken. In het begin van mijn carrière schreef ik soms een verhaal waarvan ik stiekem wel wist dat het niet goed was. Weggooien vond ik doodeng. Ik had tenminste iets. Hoe wist ik dat het de volgende dag wel zou lukken? Het is wel goed, dacht ik dan tegen beter weten in. En ik las het aan mijn dochters voor in de hoop dat ze het mooi zouden vinden. Dan zette ik ook zo'n opgewekte stem op, alsof dat het verhaal beter maakte. Onze oudste dochter luisterde altijd tot het bittere eind. Masja trapte er niet in. Halverwege liep ze dan weg en ging verder met spelen. Nu had ik weer zo'n stem opgezet. Positieve energie overbrengen, dat moest helpen om Mas uit de misère te halen. Maar midden onder de verjaardag van het vuurvliegje stond ze op, liep naar de bank en ging languit liggen. Ze huilde, ze voelde zich zo alleen met de baby. Ik ging naast haar zitten en legde haar hoofd op mijn schoot. Ik streelde haar haar.

'Het komt allemaal goed,' zei ik met dichtgeknepen keel van de stress. 'Het zijn de hormonen.' Mijn stem piepte. Als ik me gestrest voelde, sloeg mijn stem altijd over. Toen ik net schrijver was, was mijn stem weleens een heel uur in de piepstand blijven staan. Ik moest voorlezen in een klas met een uiterst strenge juf. De kinderen durfden amper adem te halen.

'Begint u maar,' zei de juf toen ze achter in de klas zat. Door haar kritische blik en de benauwde sfeer kwam er geen geluid meer uit mijn keel. Alleen gepiep.

'Het komt allemaal goed,' piepte ik nog een keer, en ik streek over Mas haar wang. 'Nog een paar weken, dan ben je van die hormonen af.' Maar ik moest meteen weer aan het verhaal van mijn schoonmoeder denken. Stel je voor dat Mas een kind in haar buik had met het syndroom van Down. Ik zag het al helemaal voor me: de verschrikte gezichten van iedereen als ze zich over het wiegje bogen. Alle zorgen die Mas zou krijgen. Geen tijd meer voor haar kunst. Tot haar dood de zorg voor haar kind dat altijd afhankelijk zou blijven, ook als ze er niet meer was.

Ik keek naar het witte gezicht op mijn schoot. Ik dacht niet meer aan de foetus in haar buik. Het ging nu om mijn eigen kind. Net als vroeger als ze verdrietig was, huilde ik mee. Ik keek naar Elles. Daar zat ik met onze dochter in mijn armen, onze dochter die zich zo belabberd voelde, die zichzelf helemaal kwijt was. Mas stond ineens op en rende naar de wc. We hoorden haar kotsen.

Mam, je wordt oma, dacht ik ineens, en ik schoot van de stress in de lach.

Sinds ik wist dat ik oma werd, had ik gestraald. Het was alleen maar mooi geweest. Mierzoete verhaaltjes schoten door mijn hoofd. Maar niets was alleen maar mooi. Overal zat een keerzijde aan. Daar kwam ik nu pas achter. Van een aankomend oma die al zestig jaar heeft geleefd had je dit inzicht toch eerder mogen verwachten.

Mas kwam binnen en ging weer liggen. Ze snikte. 'Ik heb nog niks van Edgar gehoord.'

Ik dacht aan mijn eigen zwangerschap. Wat was het heerlijk dat Elles elke dag bij me was geweest. Wij waren samen zwanger. Toen Elles zwanger was, kon ik er ook voor haar zijn. Twee vrouwen. We wisten allebei wat je nodig had.

Onze schoonzoon was nu aan het werk in Berlijn. Twee jaar geleden had Mas hem met een stralend gezicht aan ons voorgesteld. Een lieve, mooie jongen uit een Zwitsers dorpje, die feilloos in ons vrouwengezin paste. Toen ze met de kerst bij ons kwamen logeren zag ik hoe gelukkig mijn dochter was. Hij had cadeautjes voor ons bij zich. In Zwitserland gaven ze elkaar cadeautjes met kerst. Hij hielp spontaan mee in de keuken. En superhandig dat hij was. Dat ze nog bestonden! Ik was helemaal euforisch. Mijn droomschoonzoon, dacht ik bij elk glas wijn dat we hieven. Want er moest wel gedronken worden, ik stond bol van de stress. We waren nog niet vertrouwd met elkaar. Ik wilde dat hij het fijn bij ons vond. Ik vroeg beleefd naar zijn werk, zijn afkomst, zijn familie. Hoe vaak hadden we dat bij vorige vriendjes van Mas al niet gedaan? En dat allemaal in het Engels. De vorige jongen was een muzikant uit L.A. Toen het uitraakte met hem had Mas gezworen dat ze nooit meer een buitenlandse jongen zou nemen. Maar nu had ze een letterontwerper uit Zwitserland. Hoeveel zouden er nog volgen? Met de vorige jongen hadden we de hele avond over popmuziek gepraat. Probeer dat maar eens over letters.

Een paar maanden later kwamen ze vertellen dat hij voorgoed in Amsterdam ging wonen. Hij koos

voor onze dochter en had zijn werk in Berlijn opge-
zegd. Een jongen die zoiets deed voor Mas kon bij
mij niet meer stuk. Bovendien pasten ze zo goed bij
elkaar. Hij stimuleerde haar met haar kunst en
acteerde in haar filmpjes. Hij hielp haar bij het in-
richten van elke tentoonstelling. Mas was altijd heel
speels gebleven en dat was hij ook.

Maar die droomschoonzoon zat nu wel mooi in
Berlijn, terwijl onze dochter van ellende op de bank
lag en het niet meer aankon. In Mas' buik groeide
hun baby. Dat kleintje moest zich in alle rust kunnen ontwikkelen. Daar ging het om. En als zij hem
daarbij nodig had, dan moest dat. We hoorden het
haar zeggen toen hij belde: 'Ik voel me zo rot. Je
kunt niet meer zo ver weg gaan. Zolang ik me zo
ziek voel, moet je niet meer weggaan.'

Toen ze ophing zei ze: 'Ik voel me zo benauwd.
Het is net alsof ik geen lucht krijg.'

Elles en ik keken elkaar bezorgd aan. De oma's
waren van hun roze wolk gevallen.

TIEN

Elles was een reisje aan het plannen. Ze hield van
reizen en vooral van steden bezoeken. Dit keer ging
ze naar New York. Ik merkte dat ze niet superen-
thousiast was. Ze wilde al een keer eerder naar New
York gaan, maar toen had ze het afgeblazen. Ameri-
ka trok haar toch niet echt. Ze hield meer van het
Oosten. India was haar grote favoriet. Je houdt ervan
of je haat het, zeggen ze weleens. Nou, Elles was een
grote fan. Je hoefde de naam van het land maar te
noemen of ze begon al te stralen. Toch wilde ze naar
New York. Je moest er een keer zijn geweest. Als je
New York nooit had bezocht, hoorde je er niet bij.
Mij interesseerde dat nou dus niet. Misschien omdat
ik toch nooit het gevoel heb ergens bij te horen,
behalve bij Elles, de kinderen, mijn familie en mijn
hondjes. Bovendien wist ik zeker dat ik knettergek
zou worden van de hectiek van zo'n grote stad als
New York. Amsterdam vind ik al te druk en ik ben
altijd blij als ik weer terugga naar ons dorp. Ik ben

geen reiziger. Het liefst ben ik thuis. Ik hou van een dagelijkse structuur. Elles heeft soms behoefte aan afwisseling; ze wil verrast worden door andere culturen en daarin opgaan. Maar of New York het nou voor haar was?

Nu we ouder worden valt het me steeds meer op hoe verschillend we zijn. Ik vind het prettiger om met zijn tweetjes thuis te zijn. Wandelen met de honden, mediteren en natuurlijk schrijven. Elles geniet daar ook van. Huiselijkheid, daar houden we allebei van. Toen we jong waren en elkaar net hadden leren kennen, begonnen we meteen aan ons huisje-boompje-beestje-ideaal. Al snel hadden we twee honden en een poes. Het verschil tussen Elles en mij is dat Elles het stramien juist af en toe wil doorbreken.

'Wanneer ga je?' vroeg ik.

'Weet ik nog niet, hangt van het hotel af.' Elles ging niet zomaar. Ze zocht uit waar ze het best kon logeren. Het hotel moest haar aanstaan, en de buurt ook. Het huis lag bezaaid met reisgidsen van New York. Vrienden die er waren geweest, gaven allemaal tips. Ze schreef ze braaf op, maar ik wist toch dat ze er nooit gebruik van zou maken, daar is ze veel te eigenwijs voor. Ze stippelde haar eigen reis uit.

'Na eind maart moet je niet meer gaan,' zei ik.

'Hoezo niet? In de lente is het er juist heerlijk.'

'Mas is eind mei uitgerekend.'

'Eind mei, dat is twee maanden later!'

'En als het nou eerder komt?'

'Twee maanden eerder?'

'Mas is ook te vroeg geboren.'

'Vier weken,' zei Elles. Na vijfendertig weken had Elles al ontsluiting. Masja kon elk moment komen, had de vroedvrouw gezegd. Elles durfde niet meer te fietsen, ze had het gevoel dat ze op het hoofdje zat. Ze ging nog wel met onze oudste een rondvaarttocht maken in een open rondvaartboot. Terwijl ze op alle dagen liep. Ze moest in het middenpad op de grond gaan zitten, omdat ze niet kon bukken als ze onder een brug door gingen.

Voor mij was het onvoorstelbaar dat ze nog zoiets ondernam. Toen ik op het laatst liep, durfde ik niets meer. Ik zat alleen maar te wachten. Buiten was het spekglad door de sneeuw. Ik ging niet meer wandelen, bang dat ik zou vallen. Elles deed juist nog van alles. De ochtend na de rondvaarttocht begonnen bij Elles de weeën.

'Toch zou ik het risico niet nemen, als ik jou was,' zei ik. 'Stel je voor dat Mas bevalt en je bent er niet!' Ik weet precies wat Elles dacht: dan vlieg ik toch terug. Maar ze zei het gelukkig niet.

'Dus vanaf eind maart kan ik niet meer weg.'

'Nee.'

'En van de zomer?'

In de zomer gingen we de laatste jaren vaak met de auto en de hondjes naar Frankrijk.

'Wat denk je nou?' zei ik. 'Ik ga niet weg als ik net oma ben geworden.'

'Ik bedoel in augustus,' verzuchtte Elles. 'Dan is het kind twee maanden. Ik heb er nog nooit van gehoord dat grootouders niet meer weg kunnen.'

'Ik ga in elk geval niet,' zei ik. Ik wilde er voor mijn dochter zijn, zo zit ik nu eenmaal in elkaar. En ik had er helemaal geen behoefte aan om weg te gaan. We werden oma, alsof dat niet mooi genoeg was. Van mijn moeder had ik nooit enige steun gehad. Ik wilde het zelf anders doen.

'Ik ben niet van plan om alleen nog maar oma te worden,' zei Elles. 'Ik heb ook nog een eigen leven, dat je het weet.'

Ja, dat wist ik, daar zorgde ze wel voor. Ik baalde al van die hele discussie. Natuurlijk hadden we nog een eigen leven, maar daar hoorde ons kleinkind ook bij.

'In het opa-en-omaboek staat het ook,' zei Elles. 'Je kunt samen problemen krijgen omdat de een vaker naar het kleinkind wil dan de ander.' Die eerste was ik natuurlijk.

Waarom begon ze weer over dat stomme opa-en-omaboek? Daar stond nou werkelijk niks zinnigs in. Bovendien hadden we het al weggegooid.

'Ik geef nou eenmaal niet zoveel om baby's,' ging Elles verder.

Dat wist ik. Elles vond kinderen pas leuk als ze contact met ze kon maken. Ze vond het niks als ze ergens op kraamvisite kwam en ongevraagd een wildvreemde baby op schoot kreeg.

'Wil je hem even vasthouden?' vroeg de kersverse moeder dan trots.

'Nee hoor, laat maar lekker bij zijn moeder,' zei Elles dan handig.

Terwijl ik daarentegen zat te popelen tot ik het baby'tje in mijn armen mocht houden. Ik hield ervan met een baby te tutten. Vroeger zaten de kleintjes ook altijd bij mij op schoot. Zodra ik thuiskwam van mijn werk haalde ik de baby uit de wieg. Zo'n lief klein warm lijfje tegen me aan. Ik wist nu al dat ons kleinkind geen seconde in zijn bedje zou liggen als ik er was.

Met onze hondjes was ik net zo. 'Het zijn schoothondjes,' zei ik blij toen we vier jaar geleden voor twee maltezers kozen.

'Jezus,' zei Elles. 'Ze gaan niet op schoot en ook niet op de bank en ze mogen al helemaal niet in onze slaapkamer komen.'

Nu ze er eenmaal waren, zaten ze elke avond bij mij op schoot. Of ze lagen op de bank.

We lieten ze nooit alleen thuis. Op vakantie gingen ze mee naar een hotel en dan lagen ze bij ons op de kamer.

Ze gingen altijd mee naar een restaurant.

Ze gingen mee winkelen.

In de supermarkt mochten ze in het karretje.

Ze mochten loslopen in het bos, ook waar ze vast moesten.

Ze mochten blaffen tegen iedereen.

Tegen voorbijgangers opspringen.

Achter trimmers aan rennen en in hun broekspijpen happen.

Bange honden pesten.

Kuilen graven. Ze mochten alles.

Het enige wat ze niet mochten was bij Elles op schoot.

ELF

Na zestien weken malaise liep Masja weer stralend rond. Nu haar lichaam gewend was geraakt aan het zwangerschapshormoon, was ze zichzelf weer. Ze had volop energie, was niet meer zo emotioneel en maakte weer stoute grapjes. Elke keer als ik haar zag ontroerde ze me. Ze was al helemaal moeder. Zo zacht, zo toegankelijk, en ze wilde het zo graag met ons delen. Ik besefte hoeveel geluk we hadden.

Deze ochtend zou ze een echo laten maken. Het hartje had ze al eerder gehoord. Prachtig had ze het gevonden. Ik herinnerde me dat wij dat vroeger ook een heel bijzondere ervaring hadden gevonden. Het was toen het enige wat technisch kon. Maar nu was ze twintig weken, tegenwoordig het moment dat zwangere vrouwen konden zien wat het was: een jongetje of een meisje.

Het maakte ons niet uit wat het werd, maar het werd nu wel ineens heel concreet. Het was niet meer 'een baby', maar een kleinzoon of -dochter.

De avond ervoor had ze ons nog gebeld. 'Spannend, hè?'

Mas wist bijna zeker dat het een meisje was. Iedereen had het meteen gezegd toen ze hoorden hoe lang ze beroerd was geweest. Dan krijg je een meisje, zeiden ze. Mas en Edgar hadden zelfs al een naam: Elva. Elles was er ook van overtuigd dat er een meisje in Masja's buik zat. Ze had er een paar keer over gedroomd.

's Morgens ging ik gewoon aan het werk. Om tien uur was de echo gepland. Het had geen zin om te wachten op het telefoontje. Ik werkte altijd door als er iets spannends was. Juist dan ging de tijd sneller voorbij.

Om tien uur legde ik mijn pen neer. 'Nu zijn ze binnen,' zei ik tegen Elles.

Elles knikte. Het duurde een kwartier en toen ging mijn mobieltje.

'Een jongetje!' riep Masja.

'Een jongetje!' gilde ik. Het was ineens zo echt. We kregen een kleinzoon! 'O lieverd, wat mooi.' Ik kreeg tranen in mijn ogen. Wij waren twee vrouwen met twee dochters en nu kwam er een kleinzoon. We hadden nog nooit een jongetje opgevoed. Ik dacht meteen aan autootjes en jongenskleren. Geweldig, alles was er nieuw aan.

'Geen Elva dus,' zei ik.

Mas moest er nog aan wennen, dat hoorde ik.

Ze had stiekem al naar meisjeskleren gekeken. Eigenlijk vond ze het een beetje eng. Ze had geen broers gehad. Het was zo onbekend voor haar.

'Jongens kunnen zo ruw zijn,' zei ze. 'Laatst was er een jongetje in onze winkel en die had zijn moeder geschopt. Drie jaar, mam.'

'Edgar en jij krijgen een lief jongetje,' zei ik. 'Er zijn zoveel lieve jongens.'

'Er is nog iets,' zei ze. Het bleef even stil. 'Er zit een cyste in zijn hoofdje. Maar we hoeven ons geen zorgen te maken, het komt heel vaak voor. Meestal is het weg tegen de tijd dat de baby wordt geboren.'

We kregen een kleinzoon. Ik dacht aan mijn vader. Wat zou hij trots zijn geweest! Op bijzondere momenten denk ik altijd aan mijn vader. Ik heb toch meer met hem gemeen dan ik altijd had gedacht. Misschien omdat hij ook altijd hevig ontroerd was op bijzondere momenten, net als ik.

'Taart!' zei ik tegen Elles. Ik, die nooit een taartje nam, zelfs niet als ik jarig was. Maar nu hoorde het erbij. Ik zat midden in een hoofdstuk, maar dat kon me niks schelen. We hadden wat te vieren!

Met een taartje voor ons zaten we in de serre. Na een paar happen vielen we stil.

'Denk jij ook aan die cyste?' vroeg ik.

'Ja,' zei Elles.

'Meestal verdwijnt het vanzelf,' zei ik. 'Maar wat als het niet zo is?'

De rest van het taartje lieten we staan. Ik liep naar mijn werkkamer en googelde 'cyste' en 'foetus'.

Inderdaad, vaak verdween de cyste vanzelf. Maar het gebeurde ook dat hij er nog zat als de baby ter wereld kwam. Dan kon het de ontwikkeling van de hersenen verstoren.

Het drong langzaam tot me door wat het inhield. Stel je voor dat Mas een kindje kreeg dat verstandelijk gehandicapt was. Ik dacht aan de opa's en oma's die dat meemaakten. Als we zoiets hoorden leek het zo ver van ons af te staan, maar nu kon het zomaar gebeuren.

'Eng, hè?' zei ik. 'Ze was ook zo ziek in het begin van haar zwangerschap. Ik moet steeds aan het verhaal over je moeders zus denken.'

'Tante An was negen maanden ziek geweest,' zei Elles. We stelden elkaar gerust.

'Geen zorgen, schat,' zei ik toen Mas weer belde. 'Dat komt door die rotecho, anders had je niks geweten. Het komt heus wel goed. Misschien hadden jullie ook wel een cyste in je hoofd toen wij twintig weken zwanger waren.'

Mas bleef er heel rustig onder.

Ik haatte die echo's van tegenwoordig. Dat ge-gluur in die buik voor niks. Nou had ze de rest van haar zwangerschap zorgen, en wij ook! Vroeger kreeg je alleen een echo als het medisch noodzake-lijk was. Natuurlijk, het was een momentopname. Dat kind werd midden in zijn ontwikkeling gefoto-grafeerd. Bij de een groeide dit trager, bij de ander dat. Maar ze gingen ervan uit dat het bij iedereen hetzelfde moest gaan. De grote gemene deler. Onze oudste kreeg pas tanden toen ze tweeënhalf was. We konden bijna niet geloven dat ze nog kwamen. En Mas had tot haar derde geen woord gezegd. Nou en? Dit kleintje had een cyste die mogelijk vanzelf oploste voor de bevalling. We probeerden elkaar steeds gerust te stellen, maar toch maakten we ons nu al zorgen als we aan onze kleinzoon dachten. Als ik vroeger zoiets had gehoord, was ik in paniek geraakt. Het kon niet anders of het was voor Mas ook een stressfactor.

'Je denkt vast wel vaak aan die cyste?' vroeg ik toen ze een keer bij ons langskwam.

Masja knikte.

'Maak je je erge zorgen?' Ik pakte haar hand.

''s Nachts denk ik er weleens aan, maar het heeft geen zin,' zei ze. 'Als ik een kindje moet krijgen dat verstandelijk gehandicapt is, dan is het zo.' Ze legde haar hand op haar buik. 'Het is mijn kind.'

Ik keek naar haar en kon wel huilen. Ik was zo ontzettend trots op haar. Mijn dochter, ze was zijn moeder. Ze zou het kindje in haar armen sluiten.

TWAALF

We kregen een kleinzoon! Op straat keken we naar alle jongetjes die we tegenkwamen. 'Zo'n jochie krijgen wij ook,' zeiden we dan. Tot nu toe hadden we veel meer op kleine meisjes gelet.

'Moet je die zien.' Elles lachte toen we in het bos liepen. Een klein jongetje van een jaar of drie rende met een hondje aan de lijn voor zijn opa en oma uit. Het beeld was zo anders dan dat wij al die tijd in ons hoofd hadden gehad. Als we aan ons kleinkind dachten, zagen we steeds een klein meisje voor ons, keurig aan de hand van haar oma en in haar andere hand onze hondjes aan de lijn. Zo was het met onze dochters ook altijd gegaan. Het jongetje dat we nu zagen rende kriskras over het pad met zijn hondje.

Op het strand zagen we drie jongetjes spelen. Ze schepten zand over hun hond. En toen de hond opsprong, renden ze met hem de zee in. Ik dacht aan mijn vader. Hij wilde altijd een zoon met wie hij kon voetballen.

Zijn eerste kind was een meisje, maar toen was er nog hoop. Toen ik werd geboren was hij hevig teleurgesteld. Hij kwam niet eens kijken toen de zuster hem riep dat hij een dochter had gekregen. Weer een meid, wat moest hij ermee? Maar daar had hij iets op bedacht. Hij had het altijd over 'zijn jongen' als hij over mij sprak. Ik kon hem geen groter plezier doen dan wilde spelletjes te spelen en te voetballen. Ik gedroeg me als een jongen, terwijl ik het liefst met poppen speelde. Maar ik wilde dat mijn vader trots op me was.

Stel je voor dat ik een jongen was geweest. Maar dan een heel timide jongetje dat niet van voetballen hield en het liefst zat te lezen. Dat was pas echt zielig geweest voor dat kind. Want reken maar dat mijn vader het dan een eitje had gevonden. En mijn vader wilde absoluut geen eitje als zoon.

Van mij hoeft onze kleinzoon niet stoer te zijn. Als hij het leuk vindt, krijgt hij een pop van me.

We liepen door de stad. Elles trok me een winkel met babykleertjes in. Rekken vol enige broekjes hingen er. Daar hadden we nog nooit naar hoeven kijken. We zochten twee broekjes in de kleinste maat uit. Zou Mas ze mooi vinden? We wisten het niet. Maar wij waren er helemaal verliefd op.

'Dat is dan twee euro vijfennegentig,' zei de vrouw achter de kassa.

Ik kon mijn oren niet geloven.

'Het tweede broekje is gratis,' zei de vrouw toen ze ons verbaasde gezicht zag.

Maar zelfs dan was het nog erg goedkoop!

Ineens hadden we het door. Het was een winkel in tweedehandskinderkleren. Ik werd op slag hebberig. Ik wilde nog veel meer kopen. Al namen we het hele rek, dan kostte het nog niet veel. Maar ik hield me in. Toen ik zwanger was, hadden we niets hoeven kopen. Er was een grote zak met babykleertjes die de hele vriendenkring rondging. En toen onze kinderen groter werden, kochten we ook alleen maar in twee- dehandswinkels. We hadden het geld niet voor nieu- we kleren.

Zelf had ik vroeger altijd de kleren van mijn zus af moeten dragen. En daarna gingen ze weer naar nicht- jes en neefjes. Zo ging dat ook met het speelgoed. Zodra we ergens niet meer mee speelden, ging het naar mijn tante.

Toen we thuiskwamen, stopten we de kleertjes niet in een la. We spreiden ze uit op de kast in de kamer zodat we er steeds naar konden kijken.

'We houden ze zelf,' zei Elles.

Al onze vrienden kregen de piepkleine broekjes te zien. Een heeft een superstoere zak op het broekspijpje en de ander heeft strepen.

Vanaf dat moment stroomden de cadeautjes binnen. Het werd een soort tentoonstelling op de kast. Telkens als we erlangs liepen, bleven we staan kijken.

'Kijk eens!' Toen Mas bij ons kwam haalde ze met een trots gezicht een paar sneakers in het kleinste maatje tevoorschijn. 'Voor mijn zoon,' zei ze stralend.

Nu ze aan het idee dat ze een jongen kreeg gewend was, vond ze het geweldig.

'Nee, wat schattig!' riep ik. Bij het zien van die piepkleine schoentjes werd ik helemaal hyper. Ik gaf er wel tien kussen op.

'Dat gezicht van jou!' zei Mas lachend. 'Je mag ze wel hebben.' Ze zette de schoentjes tussen de andere spulletjes.

Het begin was er. Nu werd het tijd om een kamer voor onze kleinzoon in te richten.

'Ik vind het helemaal niks dat zijn ledikantje in de logeerkamer komt te staan,' zei ik tegen Elles. 'Hij moet zijn eigen kamertje hebben bij zijn oma's, met zijn naam op de deur. En als er dan nog meer kleinkinderen komen, zetten we hun naam eronder. Hij is en blijft de oudste.'

Een paar minuten later stonden we samen op zolder. Het was onze berging, maar we konden makkelijk met de helft toe. We waren het erover eens: aan de kant van het raampje kwam de logeerkamer. Nog geen uur later gaven we een aannemer opdracht een kamertje te timmeren.

'Je hebt het voor elkaar,' zei Elles lachend. 'De logeerkamer wordt zijn kamer. En als hij groot is, ruilen we. Dan mag hij op zolder.'

Dat leek me geweldig. Mijn oma had vroeger ook een zolder. We mochten daar nooit slapen, maar ik heb er weleens gespeeld. Superspannend was dat. En nu werd ik zelf een oma bij wie haar kleinkind een eigen kamertje kreeg.

'Hier komt het ledikantje,' zei ik tegen Elles toen we in zijn kamertje stonden. 'En dan kan daar de commode. En de box. Die halen we dan tevoorschijn als hij bij ons is.'

'Dat valt me nog mee,' zei Elles grijnzend. 'Dat we niet elke dag met een box in de kamer moeten zitten.'

'Ik weet nog niet waar we de kinderwagen moeten zetten,' zei ik.

'Hou op,' zei Elles. 'Nou weer een kinderwagen. Doe niet zo overdreven.'

We liepen met de honden in het bos toen we een vrouw die bij ons in de buurt woonde tegenkwamen.

Zij paste elke week een dag op haar kleinkinderen.

'Hoe gaat het met de aanstaande oma's?' vroeg ze.

'Super,' zei ik. 'Hij krijgt zijn eigen kamer.'

'Heel handig,' zei ze. 'Ik heb ook een speciale kamer voor de kleinkinderen. Dan denk je: mijn kinderen zijn het huis uit, die ruimte heb ik voor mezelf, vergeet het maar.'

'Ze wil een kinderwagen bestellen,' zei Elles, naar mij wijzend.

'Natuurlijk,' zei de vrouw. 'Die heb je nodig. Ik heb ook alles.'

'Ook een autostoeltje?' vroeg Elles.

'Jazeker,' zei ze. 'Geloof me, je hebt alles nodig.'

Die middag stonden we in een babywinkel.

'Wat schattig!' Elles ging helemaal los. Een ledikantje, lakentjes, een dekentje – alles werd uitgezocht. Ze vond zelfs in een andere babywinkel een lamp voor in zijn kamertje.

'Weet je waar we ook even moeten kijken?' Elles trok me al mee naar een volgende winkel.

'Wat een leuke dingen hebben ze hier!' riep ze toen we er naar binnen gingen. 'Hebt u ook een mand?' vroeg ze aan de verkoopster.

'Waar heb je een mand voor nodig?' vroeg ik.

'Dat is een heel oud gebruik,' zei Elles. 'Dan krijgt

de kraamvrouw een mand met negen cadeautjes. Elke dag mag ze er een uitpakken.'

Help, die negen cadeautjes moesten wel worden gekocht. En Elles was niet snel tevreden. Ik was er al bang voor. Winkel in, winkel uit moesten we.

Elles kocht zelfs crêpepapier om er bloemen van te vouwen. Daarmee wilde ze de mand versieren.

We zochten een blauwe kinderwagen uit. Toen we de zoveelste winkel uit kwamen kon ik geen baby-spullen meer zien.

'Kom op,' zei Elles. 'We gaan nog even verder kij-ken.'

'Nu nog?' riep ik. 'We hebben al zoveel.'

'We moeten toch alles hebben,' zei Elles. 'We mis-sen nog een wipstoeltje en een badje.' En ze zette de volgende babyshop in de navigator.

DERTIEN

We moesten nu toch echt gaan beslissen welke dag we wilden oppassen. Mas had erom gevraagd. We hadden het een beetje voor ons uit geschoven, omdat we ook wel wisten dat we het best druk hadden.

Elles zat met de agenda voor zich.

'Maandag en dinsdag zijn geen optie,' zei ik. 'Aan het begin van de week wil ik een start maken met mijn werk.'

'Woensdag is onze saunamiddag,' zei Elles.

Al jaren gingen we op woensdagmiddag naar een kleine sauna. Heerlijk relaxen. We keken ernaar uit. Ik had mijn carrière zonder de sauna niet eens volgehouden. Inmiddels kwam er een vaste groep mensen die we intussen heel goed kenden en met wie we veel plezier hadden. Geen diepgaande gesprekken, gewoon lekker luchtig met elkaar lachen. Ik plande alles zo dat de woensdagmiddag vrij was en tot nu toe was dat altijd gelukt. Nee, de woensdag was geen optie. Niemand moest aan onze woensdagmiddag komen.

'Vrijdag kan wel,' zei ik.

'Dan heb ik mijn beeldhouwcursus,' zei Elles. 'Dan zul je met de trein naar Amsterdam moeten gaan, want ik heb de auto nodig.'

Ik piekerde er niet over. Zeker met twee hondjes in de trein. Ik ging de laatste jaren nooit meer met de trein. Ik vond het veel fijner om met de auto te reizen. Dan had ik het gevoel dat ik mijn eigen huis bij me had. Jaren achterelkaar had ik lezingen gegeven en met de trein het hele land door gereisd. Vaak drie keer in de week. Dan stond ik 's morgens om halfzes al op het station en pas 's avonds was ik weer thuis. Ik had het al die tijd volgehouden omdat het voor mijn carrière was. En er moest ook geld binnenkomen, want in het begin verdiende ik bijna niets met mijn boeken. Maar toen het niet meer nodig was, had ik helemaal genoeg van het reizen met de trein.

'Dan blijft de donderdag over,' zei Elles. 'Als ik dan maar wel op tijd terug ben, want 's avonds heb ik Italiaanse les. Hoe doen we het eigenlijk? Gaan we elke week alle twee? We kunnen het ook om de week doen. De ene week jij, de andere week ik.'

'Ik wil een band opbouwen met mijn kleinkind,'

zei ik. 'Ik wil hem elke week zien.'

'Waarom halen we hem niet hierheen?' zei Elles. 'Dan zien we hem alle twee elke week. De een haalt hem en de ander brengt hem terug.'

'Dat wordt dan wel een vroegertje,' zei ik. 'Mas moet om halftien de deur uit. Als je er om negen uur wilt zijn, zitten we midden in de file. Heb je daar wel aan gedacht?'

'Dan gaan we een halfuur eerder weg,' zei Elles. 'Normaal rijden we het in drie kwartier, dan komt er een halfuur bij.'

'Niks drie kwartier, een uur,' zei ik. 'Jij zegt altijd dat het drie kwartier is naar Amsterdam. Dat hebben we nog nooit gered.'

'Een uur dan,' verzuchtte Elles. 'Dan gaan we om halfacht weg, dat is te doen.'

'In de spits? Dat gaat echt niet. Ik heb daar 's ochtends zo vaak vast gestaan. We zullen voor de file weg moeten gaan.'

'De file begint al om halfzeven,' zei Elles. 'Dan moeten we om halfzes weg. Wat? Vijf uur op dus.'

'Nou en? Voor die ene keer in de week.'

'Weet je wel wat je zegt? Ik zie mezelf echt niet om vijf uur naast mijn bed staan. Lekker in de winter.'

'Dan ga ik hem toch halen? Dan breng jij hem

terug, makkelijk zat. Mij maakt het niet uit voor die ene dag in de week. Opgelost.'

'Niks opgelost. Ik heb er echt geen zin in dat de wekker om vijf uur afloopt.'

'Jij hoeft er toch niet uit? Ik zeg net dat ik hem haal. Jij draait je nog even lekker om en ik regel het.'

'Hoezo, "lekker omdraaien"? Dan ben ik toch klaarwakker.'

'Ik kan toch zachtjes doen.'

'Ik heb jou nog nooit ongemerkt het huis uit horen sluipen. Trouwens, ik kan hem niet eens terug-brengen,' zei Elles. 'Want donderdagavond heb ik Italiaans. Je zult hem dus ook naar huis moeten brengen.'

'In de file dus,' zei ik. 'Dat lijkt me niks, dan is zo'n kind moe en moet hij nog al die tijd in de auto hangen. Dat wordt helemaal niks. Weet je wat wij doen? We passen bij Mas op, dan is hij lekker in zijn eigen huis.'

'Om de week,' zei Elles. 'De ene keer ga ik en de andere week ga jij. Als ik aan de beurt ben, ga jij gewoon mee. '

'Heel goed,' zei ik.

'Maar als het mijn beurt is, mag ik zeggen wat we gaan doen,' zei Elles.

'Wat bedoel je met "wat we gaan doen"?'

'Nou, waar we heen gaan, en dan mag jij niet zeuren als ik de stad in wil.'

'In die drukte?'

'Lekker shoppen, langs de Bijenkorf, naar een museum, Artis of het Vondelpark.'

'Artis en het Vondelpark vind ik wel leuk,' zei ik, 'maar ik ga niet winkelen. Ik wil lekker tutten met hem thuis. En boekjes lezen en zo.'

'Op jouw eigen dag, ja. Dan geeft oma Elles hem een kus en daarna gaat ze de stad in. Ik bel je dan wel waar je me aan het eind van de dag kunt oppikken.'

'O, dan kan ik nog eens de hele stad door nadat ik heb opgepast. Mijn god, wat een gedoe,' zei ik. Vroeger hadden we dat nooit. Toen onze kinderen klein waren ging het allemaal vanzelf. We waren een geoliede machine. Het lijkt wel of we alles opnieuw moeten uitvinden nu we oma worden. 'Oké, we doen het zoals jij het zegt. Elke week is er een de baas.'

Dat had ook een voordeel. Stel dat ik het heel druk had met mijn werk, dan kon ik een week overslaan. Ik zorgde er dan wel voor dat ik het kleintje in het weekend zag.

'Dus we zijn eruit. Bij Mas thuis, op donderdag. Akkoord?'

'Waarom hebben we dan al die spullen gekocht?'

zei Elles. 'Als we toch daar zijn.'

'Begin daar nou niet weer over,' verzuchtte ik. 'Dat snap je toch wel. Als Mas hier komt, of het kleintje bij ons komt logeren.'

'Hoe vaak zal dat nou gebeuren? Hebben we daar een kamer voor laten timmeren op zolder? Voor die paar keer?'

'Hou op!' riep ik. 'Het is goed zo. Donderdag is onze oppasdag.'

'Om de week,' zei Elles nog.

Mijn mobieltje ging. Het was Mas.

'Hebben jullie al besloten welke dag het wordt? Ik ben op mijn werk en ze willen het rooster maken.'

'Donderdags,' zei ik.

'O.'

'Is dat niet goed?'

'Ja, natuurlijk, het moet jullie wel uitkomen. Maar wij dachten aan de woensdag. Dat komt beter uit, dan is het veel drukker in de winkel. Donderdag is vaak zo saai en dan sta ik alleen.'

'Je hoort het zo.' Ik hing op.

'Donderdag is uitgerekend de stilste dag voor haar,' zei ik tegen Elles.

We deden het per slot van rekening ook voor Mas. Zodat ze niet alleen zeven dagen per week moeder was, maar dat ze nog onder de mensen kwam. Toen onze kinderen klein waren, hadden wij de zorg verdeeld. Ik werkte drie dagen en Elles twee. Het was heerlijk om bij de kinderen te zijn, maar we waren alle twee blij als we weer naar ons werk konden. Degene die thuis was geweest, werd altijd het meest verwend. De moeder van Elles had er helemaal niet tegen gekund dat ze de hele dag met de baby thuis was. Ze had straatvrees gekregen en durfde jarenlang niet meer naar buiten. De kinderen moesten de boodschappen doen. Ze durfde zelfs niet meer de ramen aan de buitenkant te lappen, dat deed Elles' vader.

Mas had de zorg voor haar zoon, want Edgar kon niet zomaar vrij nemen nu hij net zijn bedrijf had opgestart. Het ging juist goed. En haar kunst deed ze ook in haar eentje. Op ons aandringen had ze haar kind voor een crèche opgegeven voor twee dagen in de week, maar in Amsterdam waren overal lange wachtlijsten. Als het na een jaar aan de beurt was, had ze geluk.

'Onze saunadag,' zei Elles.

Ik knikte. 'Maar om ons kind nou de hele dag alleen in de winkel te laten staan, zit me ook niet lekker.'

'Dat is geen optie,' zei Elles beslist. 'Dat willen we niet.'

'En al helemaal niet vanwege een saunamiddag,' zei ik. 'Wat we al jaren doen.'

'Dat hebben we nou wel genoeg gedaan,' zei Elles. 'Bel haar maar terug. Woensdag is prima.'

VEERTIEN

Eerst zag je het alleen als je wist dat Masja zwanger was, maar nu kon niemand er meer omheen: haar buik werd steeds groter. Ze was nu echt een trotse zwangere vrouw, zoals ze over straat liep.

Onze moeders liepen nog in positiekleding. On-sexy jurken die de buik zoveel mogelijk moesten verbergen. Van broeken was geen sprake. Wij hadden daarbij vergeleken nog geluk gehad. In onze tijd heette het blijetijdskleding. Ook zo'n fijne naam als je kotsend boven de wc hing. We hadden broeken met elastiek erin en droegen daar wijde hesjes boven. Maar ook bij ons moest de buik nog zoveel mogelijk verborgen blijven. Niet dat Elles zich daar iets van aantrok. Die ging zeven maanden zwanger topless en met blote buik de zee in.

Maar nu zagen zwangere vrouwen er prachtig uit! Mas was een plaatje in haar strakke truitjes, waarin de bolle buik goed te zien was. Ik was zo trots als ik naast haar op straat liep.

Mas en Edgar waren volop bezig met het uitzoeken van een naam. Ze waren er zo zeker van geweest dat het een meisje zou worden dat ze nog geen jongensnaam hadden. Eerst hadden ze Jip, maar die was van de baan. Achteraf vond Mas het te kort. Bijna elke week hadden ze een andere naam. Telkens als we er een beetje aan waren gewend, zagen ze ervan af.

Voor onze ouders was het veel makkelijker geweest, die hoefden er niet lang over na te denken. Mijn zus was naar mijn oma vernoemd en ik naar mijn andere oma. Elles en ik hadden toen we zwanger waren besloten onze kinderen juist niet te vernoemen. Dat was toen weer hip. De Russische namen van onze dochters waren geïnspireerd op de boeken van Tsjechov.

Voor Mas en Edgar was het extra lastig, omdat Edgar van Zwitserse komaf was. Namen die voor ons bekend waren, kenden ze in zijn geboorteland niet.

'Waarom doen jullie Jip niet?' vroeg ik. 'Wat maakt het nou uit dat het kort is?'

'Het moet niet alleen voor nu schattig zijn,' zei Mas. 'Later wordt het een man. Je weet maar nooit, misschien wordt hij arts. Dokter Jip, dat klinkt toch niet?'

Er volgde een hele rij namen, maar steeds werd de nieuwe naam weer verworpen. Eindelijk had Masja Milan. Maar die kende Edgar weer niet. Hij moest steeds aan AC Milan denken.

'We hebben hem!' zei Mas blij na een aantal weken. Ze liet de naam op een familiefeest vallen.

Aan hoe ze de naam uitsprak, hoorde ik dat ze er allebei helemaal achter stonden.

'Nooit doen!' riep tante Marleen, die lesgaf op een basisschool. 'Dan wordt hij gepest.' En ze wist een pesterig rijmpje dat ze erachteraan zouden plakken.

Weer opnieuw denken. Wij hielden wijselijk onze mond. We hadden allang gemerkt dat we heel andere ideeën over namen hadden.

Maar ineens was de naam er toch. De naam waar ze allebei blij mee waren. Mooi op tijd, want het wiegje stond er ook al. Nog een aantal weken en dan lag onze kleinzoon erin. Het was een schattig rond wiegje, maar niet met een tulen hemeltje erboven. Mas was en bleef kunstenaar. De wieg werd met retrostof bekleed. Van dezelfde stof naaide ze vintage gordijnen. Het was allemaal op elkaar afgestemd. De commode die ze op Marktplaats hadden gekocht, paste er helemaal bij. Het had een totaal andere sfeer dan de zoete babykamers die we in babywinkels hadden gezien.

We keken naar het wiegje.

'Nog een paar weken,' zei Mas.

We dachten allemaal hetzelfde. Als het jochie maar gezond was.

Over een uurtje hadden we een afspraak voor een pretecho. Alleen de naam al. Alsof het zo geinig was. Wat als de cyste er nog zat?

'Het is prachtig, mam,' zei Mas toen we naar de echoscopist reden. 'Dan zie je je kleinzoon bewegen.' Ze had expres voor 3D gekozen. De vorige echo was plat. Maar wat kon mij dat schelen? Als het kindje maar geen cyste in zijn hoofd had.

We gingen met het hele gezin. Onze oudste dochter was ook mee.

Toen we in de wachtkamer zaten, zag ik Mas' gezicht wit worden. Zelf had ik ook kramp in mijn maag. Als de cyste nog op de foto was te zien, was de kans groot dat die er bij de geboorte ook zat.

Eindelijk waren we aan de beurt. Mas moest op een soort bed liggen met een scherm aan het voeteneind.

De vrouw smeerde gel op Mas' buik en legde uit wat ze precies ging doen.

'O ja,' hoorde ik Mas zachtjes zeggen. 'Vorige keer zat er een cyste in zijn hoofdje.'

'We gaan kijken,' zei de vrouw zonder een spier te vertrekken.

Ze liet deel voor deel het kleintje zien. 'Het ziet er goed uit,' zei ze. 'Hij slaapt alleen.'

Wat bedoelde ze met 'het ziet er goed uit'? Ik wachtte in spanning af tot ze over die cyste begon. Maar de vrouw maakte zich over iets heel anders druk. De baby sliep, hij bewoog niet. Zo kon ze geen mooi filmpje maken. Na een tijdje moest Mas opstaan.

De vrouw wist er wel wat op. Masja moest springen. Ik had het goed gehoord. Ze moest springen om haar baby wakker te krijgen.

Ik vond het belachelijk. Mens, laat dat kind lekker slapen. Kijk liever naar zijn hoofdje. Na drie sprongen had Mas er genoeg van.

'Laten we hopen dat het iets heeft opgeleverd,' zei de vrouw. Ze ging weer kijken. De kleine sliep nog steeds. Wat ging ze nog meer verzinnen? Zo meteen moest Mas op haar hoofd gaan staan. En dat alleen maar voor een mooi filmpje. Wat een circus, dat dit bestond.

'Het geeft niet,' zei ik. 'Ik hoef geen mooi filmpje.' Wij hadden de echo deze keer betaald, dus kon ik het zeggen. 'Mas, je wilde toch nog weten hoe het zat?' vroeg ik voorzichtig.

'Ja, de cyste,' zei Masja bleekjes.

'Die is weg,' zei de vrouw droog. 'Had je dat nog niet begrepen?'

Ik voelde me kilo's lichter worden.

'Jullie mogen nog een keer gratis terugkomen,' zei de vrouw. 'Hij slaapt nu.'

'Toedeloe,' zei Mas. 'Voor mij geen echo meer.'

Daar waren we het helemaal mee eens. Zeker weer iets vinden waar we de stress van kregen. Vrienden van Mas en Edgar hadden ook een echo laten maken. Ze kregen te horen dat de lever niet snel genoeg groeide. Ze hadden zich van alles in het hoofd gehaald. Toen het geboren werd, was er niks aan de hand.

'Het kindje ligt wel dwars,' zei de vrouw toen Mas opstond. 'Dat je het weet. Hij ligt dwars.'

'Is dat erg?' vroeg Mas.

'Nou, als hij niet draait, kan hij er niet uit zichzelf uit.'

Nou dat weer, dacht ik.

'Je hebt nog tien weken,' zei ik. 'Eruit komt hij altijd. Desnoods met een keizersnee, net als de prinsesjes.'

We lieten ons niet gek maken en zijn de eerste de beste kroeg in gegaan.

Champagne, op onze kleinzoon!

VIJFTIEN

'Masja heeft ingesproken,' zei ik tegen Elles toen ik op het schermpje van mijn mobieltje keek. Ik zette het telefoontje op de luidspreker.

'Mam, kun je mij even terugbellen? Ik wil weten hoe lang de moederkoek goed blijft.'

'De moederkoek?' Ik keek naar Elles. 'Wat wil ze ermee?'

Ik dacht aan de koe waar we laatst langsliepen. Ze had net een kalfje geworpen. Het beestje was nog nat, de moeder likte het schoon. Het moest een paar minuten ervoor zijn geboren. Het stond te wankelen op zijn dunne pootjes. We stonden daar te genieten, toen Elles in mijn arm kneep. 'Een vos!'

Shit! Ik zag het ook. Aan het eind van het weiland kwam een vos uit een greppel. Hij liep regelrecht op de koe af en sloop om het kalfje heen. Zo meteen beet hij het diertje dood, zo onder onze neus. De moeder leek niet bang. Ze beschermde het kalfje wel. De vos trok zich niks van ons aan en bleef maar om de koe heen draaien. Ineens zagen we een klein vossenkopje boven de greppel uitsteken. Als vossen jongen hebben, deinzen ze nergens voor terug. Wat moesten we? Toezien hoe het kalfje werd vermoord? Elles wilde al over het prikkeldraad heen klimmen, toen we de nageboorte bij de koe zagen hangen. Die viel eruit en lag op de grond. De vos sloop ernaartoe, nam de hele nageboorte in zijn bek en rende naar de greppel. Toen zagen we moedervos met twee kleintjes. Vader vos sleepte zijn prooi mee naar het hol om zijn jong te voeden.

'Wil Mas de moederkoek soms opeten?'

'Het zou me niks verbazen,' zei Elles. 'Geen beschuit met muisjes dus, maar allemaal een stuk van de moederkoek.'

'Gadver,' griezelde ik. 'Daar moet ik niet aan denken.'

'Het is gewoon vlees,' zei Elles.

'Ik vind het maar een raar idee,' zei ik. 'Een moederkoek weegt ruim vijfhonderd gram.'

'Dan krijgen we allemaal een lekker stuk,' zei Elles.

Ze wilde altijd alles meemaken. In Indonesië had ze kat gegeten en in China hond. Het beest werd in zijn geheel op tafel gezet. Zelfs zijn tanden zaten er nog in. Ik gruwelde toen ik het zag, maar Elles nam een hap. Ze vond het nog lekker ook. Ze heeft in Turkije zelfs een keer geitenkloten gegeten. Mas was net zo.

'Ik heb daar geen zin in,' zei ik. 'We zijn geen kannibalen.' Ik wilde Mas meteen terugbellen.

'Wacht nou even,' zei Elles. 'Wij hebben er niks mee te maken. Het is hun bevalling. Weet je nog wat er in het opa-en-omaboek stond? Ook al doet je kind iets wat jij heel anders zou doen, niet mee bemoeien. Respecteren.'

Elles had gelijk. Mas zag het waarschijnlijk als een ritueel. Ze had op de Rietveld met allemaal studenten uit andere culturen gestudeerd. Wie weet was ze er daardoor op gekomen.

'Nou, het is wel weer apart,' zei ik.

'Hoezo?' zei Elles. 'Dat wij hier nou geen rituelen hebben.'

Ik was in het ziekenhuis bevallen. Toen mijn dochter er was, zag ik de vroedvrouw de nageboorte zo in een container gooien. Ik weet nog dat ik dat best een beetje oneerbiedig vond. Het was toevallig wel de verbinding tussen de baby en mij die daar op de schroothoop terechtkwam. De placenta had ons kind in leven gehouden.

Elles was thuis bevallen. 'Mag ik de moederkoek even zien?' vroeg ze. Toen ze hem had bekeken gaf ze hem mee aan de vroedvrouw.

'Zie je nou!' riep Elles vanachter haar laptop. 'In Costa Rica wordt de moederkoek begraven. Dan is de baby verzekerd van een gezond leven.'

'Begraven snap ik nog wel,' zei ik.

'Hier,' ging Elles verder. 'In Hawaï geloven ze dat de moederkoek een deel van de baby is. Op de plek waar de moederkoek wordt begraven, wordt een boom geplant zodat die gelijk met de baby opgroeit. Bij de Maori's begraven ze de placenta ook, om een band tussen het kind en de aarde te scheppen.'

'Maar ze eten hem niet op,' zei ik.

Ik at bijna nooit vlees, alleen in een restaurant.

'Je zult het toch moeten respecteren,' zei Elles. 'Als zij er waarde aan hecht. Trouwens, hier lees ik dat ze in China de moederkoek wel opeten. Ze denken dat het goed is voor de gezondheid. Ze verkopen hem zelfs. Voor vijfentwintig euro. En als een vrouw haar eerste kind heeft gebaard en het is een jongen, dan is de moederkoek nog meer waard.'

'Goed dat ik het weet, dan koop ik hem wel van Mas,' zei ik. 'Dan hoef ik dat ding tenminste niet op te eten.'

'In China is het een delicatesse,' zei Elles lachend. 'Nasi met placenta en pindasaus. Mmm. Hier staat dat Tom Cruise de moederkoek van zijn kind heeft opgegeten. En Giel Beelen ook. Hij had de moeder-koek van een vriendin gekregen. Pierre Wind heeft er een loempia en een hamburger van gebakken.'

Ik kon Giel bellen om te vragen hoe het smaakte. Hij had een rolletje gehad in mijn laatste film, *Lover of Loser*.

Elles keek me aan. 'Je zult eraan moeten geloven, schat. We hebben nou eenmaal een aparte dochter. Weet je nog dat ze vroeger weleens wilde proeven hoe een mens smaakte?'

God ja, ik had het kunnen weten. Wat zou ons nog meer te wachten staan? Bij Masja wist je het nu een-maal nooit.

'Zal ik haar bellen?' zei ik.

'Respect, hè?' zei Elles.

Ik toetste haar nummer in. 'Hoi liefje, wat wilde je precies weten?' vroeg ik schijnheilig.

'Ik wil iets met de moederkoek doen,' zei ze. 'Hoe lang blijft hij goed?'

Zie je wel, ze wil hem vast opeten. 'Het is rauw vlees,' zei ik rustig. 'Een paar dagen, net als een bief-stuk.'

'O,' zei ze, 'dan moet ik hem invriezen.'

Ik zag het al voor me. Een maand na de geboorte. Het ritueel. Een mooi gedekte tafel, kandelaars met brandende kaarsen, kristallen glazen gevuld met wijn. Naast de tafel het wiegje met onze kleinzoon erin. De schoonfamilie uit Zwitserland, onze oudste dochter die vegetariër is, maar peettante werd en het zeker zal eten uit liefde. En wij allemaal met een bord met moederkoek voor ons.

Er zat niks anders op, ik wilde geen spelbreker zijn. Ik deed het voor mijn dochter.

'Vers lijkt me beter,' zei ik. Als het dan toch moest gebeuren, dan maar in de euforie van de geboorte. Ik zou dan toch van de wereld zijn, dat wist ik nu al. Al moest ik mijn schoen opeten, ik zou het echt niet doorhebben.

'Vers gaat niet als ik net ben bevallen,' zei Mas. 'Ik wil hem voor mijn kunst gebruiken, voor een filmpje.'

Ik voelde me meteen ruim vijfhonderd gram lichter.

ZESTIEN

Je kon wel merken dat het gelukshormoon bij Masja in werking was getreden. Had ze de eerste periode van haar zwangerschap overal om moeten huilen, nu was niets een probleem. Ze was zelfs weer fanatiek met haar kunst bezig.

Nog vier weken en dan was het zover. De baby was zeer beweeglijk. Mas werd 's nachts zelfs telkens wakker van zijn geschop.

Wij kenden dat niet. Mas was zelf een heel rustige baby geweest en onze oudste dochter ook.

Supervrolijk belde ze op. 'Ik ben onderweg naar de verloskundige.'

'Alleen?' Edgar was tot nu toe altijd meegegaan.

'Ja, deze keer ga ik alleen. Het kan makkelijk, Edgar heeft het te druk met zijn werk. En het is toch een van de laatste keren, haha... O wacht even, mam, een auto schept me bijna.'

'Zit je op de fiets?' vroeg ik geschrokken.

'Ja.'

Ik zag haar met die dikke buik door Amsterdam fietsen. Zo kwetsbaar en dan nog bellen ook.

'Ik hoor het straks wel,' zei ik gauw. Hoe eerder ze ophing, hoe beter. Ik had weleens vaker gezegd dat ik het niet prettig vond als ze op de fiets belde.

'Ze is onderweg naar de verloskundige,' zei ik tegen Elles toen ik had opgehangen.

'Ze is nu zesendertig weken,' zei Elles. 'Ik weet nog toen ik bij onze vroedvrouw kwam. "Je hebt al twee centimeter ontsluiting," zei ze. Ik had niks gemerkt.'

Ik herinnerde me dat ik thuiskwam en Elles het me vertelde. Ik zette geen stap meer buiten de deur. Maar bij Mas waren er nog geen tekenen die erop wezen dat de baby zou komen.

Een halfuur later had ik haar weer aan de lijn.

'Het gaat helemaal niet goed...' Ze huilde.

'Wat bedoel je?'

'Ik kan Edgar niet bereiken, hij is steeds in gesprek, maar het is helemaal mis. Ik heb een hartstikke hoge bloeddruk.'

'Hoe kan dat nou opeens? Hoe hoog?'

'Vijfentachtig en honderdvijfendertig.'

'Dat is toch niet zo hoog?'

'De vorige keer had ik zeventig. Mijn eigen verloskundige was er niet. Deze dacht dat ik zwangerschapsvergiftiging had. Ik moest plassen van haar.'

'Zaten er eiwitten in?'

'Nog niet, over twee dagen moet ik terugkomen. En als ik pijn voel, moet ik bellen.'

'Wel een snelle diagnose,' zei ik.

'Helemaal niet. Ik moest een lijstje invullen en ik had de meeste verschijnselen. Moe en hoofdpijn en duizelig. En... ze vroeg of ik de baby nog voelde...'

Jezus! 'Gelukkig is hij heel druk,' zei ik rustig.

'Nu niet... ik voel niets.'

'Geen paniek, schat. Als het inderdaad zo is, zijn ze er tenminste snel bij.'

'Als ik overmorgen eiwitten in mijn urine heb, moet ik naar het ziekenhuis. En als het misgaat, halen ze hem eruit.'

'Je fietst nu toch niet, hè?'

'Nee, ik ben al thuis.'

'Maak je maar niet te bezorgd. Let er wel op dat je niet te veel zout eet.' Dat had Elles ook geholpen. Het ging meteen fout toen ze zwanger was. Ze had een te hoge bloeddruk, na een paar weken al. Ze heeft haar hele zwangerschap niet gesnoept, ook geen koekje.

'Ik ben ook zo moe,' zei Mas. 'En duizelig. O, ik hoor een piepje, dat moet Edgar zijn.' Ze hing op.

'Ze heeft misschien zwangerschapsvergiftiging,' zei ik tegen Elles.

Elles trok wit weg. We hadden er weleens over gelezen, maar we kenden niemand die dat had gehad.

'En nu?' vroeg Elles.

'Afwachten. Overmorgen moet ze terug.'

Wij zouden die avond Thais gaan eten, maar we bleven thuis.

'Bel haar nog eens,' zei Elles.

'Het heeft geen zin,' zei ik. 'Ze moet niet merken dat wij ongerust zijn.'

'Dus als het misgaat halen ze hem eruit,' zei Elles. 'Als het maar niet te laat is.'

Ineens beseften we dat we al een hele band met de baby in Masja's buik hadden. We hadden steeds geroepen dat we over een maand een kleinzoon kregen. Maar was dat wel zo? Het kon ook misgaan.

's Nachts legden we het mobieltje naast ons bed. Woensdag was onze saunamiddag, maar we gingen niet. Mas moest ons kunnen bereiken.

'Hoe gaat het?' vroeg ik toen ze belde.

'Moe,' zei ze. 'En vannacht werd mijn hoofdpijn erger. Mag ik jullie bloeddrukmeter lenen?'

'En dan steeds meten, zeker. Als je gek wilt worden moet je dat doen. Het is zo morgen.' Ik hoorde het mezelf zeggen, maar de tijd ging tergend langzaam.

'Je gaat toch niet weer alleen naar de verloskundige, hè?' vroeg ik. 'Anders ga ik wel mee.'

'Nee, Edgar maakt tijd vrij.'

'Zo meteen moet ze naar het ziekenhuis,' zei Elles. 'En ze wilde juist zo graag thuis bevallen.'

'Je hebt niks te willen,' zei ik. Net als ik vroeger. Elles en ik hadden zelfs een cursus natuurlijk bevallen gedaan. Alle plannen veranderden toen ons kindje in een stuit lag.

'Voelt ze de baby nog?' fluisterde Elles toen ik Mas die avond aan de lijn had.

'Ze weet het niet meer,' zei ik.

Eindelijk waren de twee dagen om. Aan het eind van de middag had Mas pas een afspraak. Ze was kotsmisselijk en doodmoe.

'Geen goed teken,' zei ik tegen Elles.

Ik zat met mijn mobieltje in mijn hand toen ze belde.

'Er is niks!' riep ze blij. 'Er is helemaal niks aan de hand. Geen eiwitten in mijn urine en mijn bloeddruk was ook weer normaal. Allemaal paniek voor niks, zei de verloskundige. Ik had nu weer mijn eigen verloskundige gelukkig. Die andere was een stagiair.'

Dit was toch niet te geloven! Al die ellende vanwege een stagiair die waarschijnlijk geen enkele ervaring had. Hoe konden ze haar met zo'n zware verantwoordelijkheid opzadelen? Wie vraagt er nou aan een hoogzwangere vrouw of ze nog leven in haar buik voelt? Logisch dat je je meteen uitgeput voelt. De stress schiet er gelijk in. Weten ze daar wel wat ze aanrichten? Je zou er spontaan een hoge bloeddruk van krijgen. Kerngezond ging je ernaartoe, en ziek komt je ervandaan. Het was niet te hopen dat ze dat kind op Mas afstuurden als ze ging bevallen. Een scholier gewoon nog. Misschien is ze net aan de opleiding begonnen. En die gaat tegen mijn dochter zeggen dat ze mogelijk zwangerschapsvergiftiging heeft. Ik wilde die toko meteen bellen om ze te vertellen dat ze knettergek waren. Maar Mas was zo blij. Alles was over. Haar hoofdpijn was weg, ze was niet meer duizelig en ze voelde zich op en top fit.

'Fijn hè, mam?'

'Kind, wat een geluk,' zei ik kalm, maar vanbinnen kookte ik.

ZEVENTIEN

Dit weekend zou Masja achtendertig weken zwanger zijn. Als het kleintje nu kwam, mocht ze thuis bevallen. Het was Hemelvaartsdag, dus we hadden een lang weekend in het vooruitzicht.

'Gaan wij naar Epe?' vroeg ik die ochtend aan Elles. Normaal wisten we dat al ruim van tevoren. Dan stonden we vroeg op, pakten onze spullen in en weg waren we. Hoe eerder we in ons huisje in het bos waren, hoe beter. Maar nu was het al halftien en we hadden nog geen enkele actie ondernomen.

'Waarom zouden we níét gaan?' vroeg Elles.

'Nee, dat vind ik ook,' zei ik. 'We hoeven nergens voor thuis te blijven, toch?'

'In elk geval niet voor Mas,' zei Elles. 'Ze kan bevallen, maar dat kan ook pas over drie weken gebeuren. We kunnen toch niet drie weken gaan zitten wachten?'

'Nee, belachelijk,' zei ik. 'We moeten gewoon verder met ons leven.'

Dat namen we ons telkens voor, maar elke keer dat het mobieltje ging, dachten we dat het zover was. Het mobieltje ging overal mee naartoe, stond vierentwintig uur per dag, zeven dagen in de week aan en lag 's nachts steevast naast ons bed. We waren zelfs niet meer naar de sauna geweest omdat we dan onbereikbaar waren. Bij elke afspraak die we maakten zeiden we stralend: 'Tenzij...' Ik had al twee keer gedroomd dat de baby zou komen en Elles had het vannacht gedroomd.

'Of we nou daar zitten of hier,' zei Elles, 'het is maar iets verder weg.'

'Een halfuurtje maar,' zei ik.

'Als het druk is, iets langer,' zei Elles.

Ik stond voor mijn klerenkast. Wat zou ik meenemen? Ik wist het niet. Ik zag Elles ook dralen. Dit hadden we nooit. Hup, een paar kleren in de tas en klaar waren we altijd.

Eindelijk stond onze tas in de gang. Alleen de poes moest nog in het mandje. Het ging allemaal wel heel traag deze keer. Het leek wel alsof we geen energie hadden.

'We kunnen ook na de lunch gaan,' zei Elles.

'Prima,' zei ik. 'We hebben geen haast.' Nee, dat hadden we zeker niet.

Onze oudste dochter belde. 'Spannend hè, mam?

Ik heb zo'n gevoel dat het snel komt.'

Zij dus ook al. Gisteravond konden we er niet van in slaap komen. We hadden het gevoel dat elk moment de telefoon zou gaan. Met Mas en Edgar hadden we afgesproken dat ze zouden bellen als het begon. Mas vond het ook fijn dat we dan in gedachten bij haar waren. Pas tegen vier uur in de ochtend waren we van vermoeidheid in slaap gevallen.

Mas was er nu zelf ook wel aan toe dat hij kwam. Ze kon bijna niets meer, haar buik was zo zwaar. En als ze liep, kreeg ze pijn in haar heup.

We hadden geluncht, maar bleven zitten.

'Heb jij zin om te gaan?' vroeg Elles.

'Wat moeten we daar?' zei ik. We waren allebei duidelijk met ons hoofd bij onze dochter, en bij de baby. 'Ik wil liever bij het kamertje blijven,' zei ik. 'De lamp ophangen. De lakentjes wassen en het ledikantje in elkaar zetten.'

'Daar heb ik ook zin in.' Elles sprong op. 'Ik begin meteen.' We kregen op slag een energieboost.

Het was een goede keus. Het leek alsof we nesteldrang hadden. Wat moesten we in Epe? Het kamertje voor onze kleinzoon moest in orde worden gemaakt, zodat hij kon komen. Onzin natuurlijk, het had geen haast. Na de geboorte zou het nog weken duren voor hij hier kwam. Maar de drang was te sterk.

Elles zette het ledikantje in elkaar.

'Wat schattig!' riep ik toen ik bovenkwam. Ik liep ernaartoe en de tranen stonden in mijn ogen. Dat daar een klein jongetje in kwam te liggen, ons jongetje.

Ik ging naar beneden om de lakentjes te strijken.

Ze waren wel erg gekreukt. Ik ging er met een gloeiend hete bout overheen, maar ik kreeg de kreukels er niet uit. Het kwam omdat ze van katoen waren. Ik dacht aan mijn moeder. Vroeger hadden wij ook katoenen lakens. Er zat nooit een kreukje in. Als wij schone lakens kregen, was het net alsof ze zo uit de winkel kwamen. Voordat ze ging strijken maakte ze ze nat en dan rolde ze ze op. Invochten noemden ze dat. Nu weet niemand meer wat het is, want bijna iedereen heeft een stoomstrijkijzer. Maar ook met het stoomstrijkijzer kreeg ik ze niet glad.

'Laat mij eens?' Elles nam de bout over. Ze dacht wel vaker dat het haar zou lukken, maar zij kreeg de kreukels er ook niet uit.

'Ze moeten wel glad,' zei ik. Dat vonden we alle twee. Moest je ons horen, dacht ik. Wij hadden vroeger niet eens een strijkbout toen onze kinderen klein waren. Onze baby's hadden nooit op gestreken lakentjes gelegen. Dat vonden we onzin. Een reactie op mijn eigen opvoeding met een moeder die vond dat alles tiptop in orde moest zijn.

Onze kinderen zaten op de vrije school. Niemand liep in gestreken kleren. Pas toen ze naar een reguliere school gingen, hebben we een strijkbout en een strijkplank aangeschaft. En nu voor ons kleinkind moest alles ineens perfect zijn. Zelfs de honden zette ik onder de douche. Dan waren ze tenminste schoon als de baby er was.

Toen ons eerste kind werd geboren, hadden we dat niet gedaan. Het was niet eens in ons opgekomen. Onze hond mocht ongewassen aan haar ruiken en na een paar weken mocht onze dochter even bij haar in de mand. Een mand die we echt niet van tevoren hadden gewassen. De stoffen mand van onze twee hondjes lag nu in de badkuip vol Biotex.

Elles had de lamp opgehangen. Hij bestond uit stof in allerlei kleurtjes.

'Super!' riepen we toen hij brandde. We knipten hem een paar keer aan en uit. Elke keer als hij aanging waren we weer verrast. We hingen samen het mobile boven het ledikantje. Het stond heel lief.

'Hoe vind je het kussen?' Elles wees naar het bedje. Tegen de zijkant stond een kussen met een geborduurde giraf erop. Hij kwam uit de cadeaumand die Elles voor Mas had bedacht.

Toen Mas een keer met mij shopte, wees ze het kussen aan. 'Wat zou ik dat graag willen hebben!'

Daarom hadden we het gekocht. Maar toen we haar laatst een lakentje met hetzelfde patroon lieten zien was ze helemaal niet meer enthousiast. 'Echt voor een meisje,' zei ze. We hadden gemerkt dat Mas en Edgar daar nu heel erg op waren gaan letten. Wat ze voor hun kind kochten mocht absoluut niet te meisjesachtig zijn. We hadden het kussen uit de mand gehaald en nu lag het bij ons.

Elles maakte het bedje heel zorgvuldig op. Het invochten van de lakens leek te helpen. Alle kreukels waren eruit. Toen ik Elles zo over het bedje heen gebogen zag staan, moest ik aan vroeger denken. Toen stond ze ook zo over onze eigen dochters gebogen. Vol liefde. Het leek zo kort geleden. Nu werden we oma. Al die tijd waren we al bij elkaar. Ik besefte hoe mooi het was dat we hier stonden in het kamertje van onze toekomstige kleinzoon. We mochten het toch maar weer samen beleven.

'We hebben vandaag nog niets gehoord,' zei Elles toen we samen het kamertje stonden te bewonderen. Meestal belde Mas wel even. Ik toetste haar nummer in, maar kreeg geen gehoor.

'Haar mobieltje staat uit.'

'Vreemd, niets voor Mas. Haar mobieltje staat nooit uit. Zou het zijn begonnen?'

Ik probeerde Edgar, maar ook hij nam niet op. 'Het is vast begonnen,' zei ik.

'Dan zouden ze toch bellen?' zei Elles.

'Ze willen vast nog niks zeggen, pas als de weeën regelmatig zijn,' zei ik. Na een halfuur probeerde ik het weer. 'Niets.'

'Dus toch vandaag,' zei ik. 'We hebben het allemaal aangevoeld. Bijzonder is dat toch. We wilden niet naar Epe, we wisten het.'

Elles knikte. 'En wat denk je van mijn droom vannacht?'

'We hebben het gevoeld omdat we er zo dichtbij staan,' zei ik. 'Zoiets groots voel je van je eigen kind. Wat maar weer eens het bewijs is dat er meer tussen hemel en aarde is,' zei ik. 'Wil je thee?' vroeg ik.

'Ik ga toch geen thee drinken als onze dochter aan het bevallen is. Geef maar een wijntje,' zei Elles.

We wilden net proosten, toen de honden aansloegen. Buiten hoorden we het grind knerpen. De deur van de keuken ging open en daar stond Mas met haar dikke buik.

'Verrassing! We hebben vanaf het station gefietst. Dat is wel heel wat, hoor, zo op het laatst.'

ACHTTIEN

Nog een paar dagen te gaan en dan was Masja uitgerekend. Elke keer als het mobieltje ging, dachten we
dat het zover was. Maar dan bleek het toch vals
alarm te zijn.

Ik sprong op toen 's ochtends mijn mobieltje ging.
'En?' vroeg ik toen het Mas was.

'Nog niks. Ik trek het niet meer. Ik zit hier als een
ouwe taart de hele dag op de bank. Ik kan niks meer.
En alles doet zeer. Ik voel me hartstikke depri.'

Ik herinnerde me dat ik zelf ook heel somber was
geweest. Mijn hele zwangerschap was ik opgewekt,
maar ineens kreeg ik een heel zwaar gevoel. 'Ik vind
er niks meer aan,' had ik toen tegen Elles gezegd.
Die nacht braken mijn vliezen. Ik had het Mas verteld toen ze een week geleden depri was, maar ik
had haar valse hoop gegeven. Er was nog niets
gebeurd.

'Zal ik je morgen ophalen?' vroeg ik. 'Dan breng ik
je 's avonds weer thuis.'

'Super,' zei Mas.

'Ben je gek geworden?' zei Elles toen ik het vertelde. 'De weeën kunnen elk moment beginnen. Wat doe je dan?'

'Wat denk je? Dan breng ik haar terug, natuurlijk.'

'Dat hele eind?'

'In drie kwartier is ze thuis.'

'Nu is het ineens wel drie kwartier,' zei Elles. 'Tegen mij zeg je altijd dat het een uur is.'

'Een uur dan.'

'En als je in de file staat?'

'De gemiddelde bevalling van het eerste kind duurt twaalf tot twintig uur,' zei ik.

'Op jouw verantwoording,' zei Elles.

Mij leek het een goed idee. Mas zat daar in haar eentje op drie hoog. Bovendien was het prachtig weer. Bij ons kon ze door de tuin wandelen. En ze wilde naar het strand. Even frisse lucht happen bij de zee.

Ik vertrok 's morgens al vroeg zodat we een lange dag hadden.

Mas stapte in en zei meteen: 'Ik voel me niet zo goed, maar dat zal wel komen omdat ik niet heb geslapen vannacht.'

'Is het dan wel verstandig dat je meegaat?' vroeg ik.

'Rijden maar,' zei Mas. 'Ik heb zin om er even uit te zijn.'

Ze verlangde naar een dagje Bergen. Ze was er opgegroeid. Juist op dit soort momenten was het fijn om in een vertrouwde omgeving te zijn.

'Ik rij heel voorzichtig,' zei ik toen we op de snelweg zaten. Ik zag haar wel op de kilometerteller kijken. Ik reed honderd, een slakkentempo, maar ik nam geen risico.

'Gaat het?' vroeg ik toen ik gezucht hoorde.

'Au.' Mas wreef over haar buik.

'Wat au?'

'Ik heb het gevoel dat er iets scheurt.'

'Een wee?'

Ze knikte. 'Dat had ik vannacht ook. Maar daarna hield het weer op.'

'Omkeren dan maar?' Ik keek al waar ik af kon slaan.

'Nee,' zei ze. 'Niks aan de hand.' Ze greep naar haar hoofd. 'Koppijn. En mijn maag, ik ben kotsmisselijk.'

Ik vroeg me af waar ik in hemelsnaam aan was begonnen, maar ik reed toch door.

Wat kon er gebeuren? We zaten niet in the middle of nowhere. In Alkmaar was ook een ziekenhuis, en een verloskundige was zo gebeld. Hoe dichter we bij ons huis kwamen, hoe meer ik begon te twijfelen. Had Elles misschien toch gelijk gehad? Mas zag in en in wit. En ze moest het hele eind nog terug ook.

'Ik ga even liggen,' zei ze toen we er waren.

'Waar is ons zwangere meisje?' vroeg Elles, die met allemaal lekkere dingen thuiskwam.

'Ze moet even uitrusten van de reis,' zei ik zo optimistisch mogelijk.

Elles schrok toen ze Mas zag. Ze kwam naar me toe en tikte op haar voorhoofd.

'Wat nou?' fluisterde ik. 'Dat kind mag toch wel even liggen.' Maar het zat me niet lekker. Ik had nog een interview die middag. Als ze echt weeën zou krijgen, moest ik het afblazen. Waar was ik aan begonnen?

Misschien was het vannacht al begonnen, net als toen bij Elles. Zij had ook een paar dagen van tevoren ontsluiting gehad.

'Hoe voel je je?' vroeg ik aan Mas.

'Wel oké,' zei ze. 'Ik heb alleen nog hoofdpijn.'

Ik zuchtte opgelucht.

'Au!' zei ze weer.

'Een wee?'

'Nee, hij schopt tegen mijn ribben. Vannacht had ik wel een tijdje weeën,' zei ze. 'Ik voelde me zo rot. Ik dacht: nee, nu niet. En toen hield het op.'

Elles en ik keken elkaar aan. Ze hield het dus tegen.

'Ik vond het opeens zo eng,' ging Mas verder. 'Een vrouw op zwangerschapsyoga moest halverwege de bevalling naar het ziekenhuis. Het was supergestrest allemaal en toen kreeg ze ook nog een keizersnee. Als het bij mij ook misgaat, moet jij mee naar het ziekenhuis, hoor.' Ze pakte mijn hand. Ze had al eerder laten doorschemeren dat ze het fijn zou vinden als ik erbij was.

'Jij hebt Edgar,' zei ik. 'Op Edgar kun je bouwen.'

'Je hebt helemaal niks aan mannen. Moet je al die verhalen op mijn clubje horen. Een man was flauwgevallen. En een andere man had zowat de hele bevalling op de wc gezeten. Zijn vrouw was woest geworden. "En nou kom je van die plee af!" had ze geschreeuwd. En Edgar kan niet tegen bloed. Wat denk je dat er dan gebeurt?'

'Ze is bang,' zei Elles toen Masja boven lag te rusten. 'Daardoor stelt ze het uit.'

'Kan dat?' Ik had wel zoiets gehoord van een vrouw die ik tijdens het uitlaten van de honden regelmatig in het bos tegenkwam, maar volgens mijn zus was het onzin. We zetten de laptop aan en zochten op Google.

'Hier staat het,' zei ik. 'Als je bang bent maak je een bepaalde stof aan waardoor de baarmoeder ontspant en de weeën stoppen.'

'Shit,' zei Elles. 'Dat heeft ze vannacht dus ook gedaan. Ze wil jou er graag bij, dat merk je toch wel? Waarom doe je het niet?'

'Ze heeft het niet direct gevraagd,' zei ik.

'Nee, omdat ze dat zielig voor mij vindt. Maar van mij mag het.'

'Ik vind het ook niet fijn voor Edgar,' zei ik.

'Nee, alsof dit fijn voor hem is. Ze stelt het uit. Zo meteen moet het nog worden opgewekt.'

Ik begon erover toen ze beneden kwam. 'Als je het fijn vindt, en Edgar vindt het oké, dan wil ik er wel bij zijn.'

'Is dat niet erg voor Elles?'

'Nee,' zei ik, 'ze heeft het zelf voorgesteld.' Elles wist ook wel dat het niets voor haar was. Ze kon Mas niet kalmeren. Van de stress zou ze heel angstig kijken, en het kon zomaar gebeuren dat ze zich met de verloskundige ging bemoeien.

Ik zag de opluchting in Mas' ogen. Ze hoefde niet meer te liggen en ging lekker buiten zitten. Ze nam zelfs een hap van de cake, en na mijn interview reden we naar zee.

Hoe later het werd, hoe rustiger ik me voelde. De

kans dat het nu nog bij ons zou beginnen werd met de minuut kleiner.

'Zullen we maar vast gaan?' zei ik een uur eerder dan gepland. 'Dan staan we niet in de file.'

Toen ik haar voor haar huis afzette, zei ik: 'Nu duurt het echt niet lang meer.'

In mijn eentje reed ik terug. Ik voelde me stukken lichter en durfde weer honderdtwintig te rijden.

'Je moet je koffertje klaarzetten,' zei Elles. 'Als Mas 's nachts belt, dan vergeet je alles.'

We zaten naast elkaar op de bank. Al die weken hadden we het erover gehad hoe het zou zijn als Mas belde om te zeggen dat het was begonnen. We zouden elkaar voorlezen om de tijd te doden. Samen blij zijn als we hoorden dat onze kleinzoon was geboren. We zouden meteen vertrekken met een fles champagne, ook al was het midden in de nacht. En nu werd het helemaal anders. Even was het geen 'samen'. We zouden het los van elkaar beleven.

Twee dagen later stond mijn koffertje nog steeds achter in de auto.

'Wat ga jij doen als ik ga bevallen?' vroeg Masja aan Elles toen we bij hen langsgingen.

'Ik breng Carry weg, anders heb ik geen auto. En

daarna ga ik weer naar huis,' zei Elles.

'Je mag ook wel beneden wachten,' opperde Masja. 'Niet gezellig, hè, in je eentje,' zei ze meteen. Ze keek naar Edgar. 'Is het niks voor jou om samen met Elles beneden te blijven?'

NEGENTIEN

Mas werd ongeduldig. Telkens dacht ze dat het ging beginnen en dan zetten de weeën niet door.

'Ik heb het helemaal gehad,' zei ze aan de telefoon. 'Ik ga maar weer wat doen. Zo meteen duurt het nog twee weken. Tegen die tijd ben ik helemaal gek geworden van het wachten. Ik heb nog een werkje. De gordijnen voor de kinderkamer moeten nog worden gezoomd.'

'Leuk,' zei ik. 'Dan hangen ze misschien morgen al.'

'Dat had je gedacht,' zei Mas. 'Als ik een tijdje met iets bezig ben, word ik niet lekker.'

'Hoezo, niet lekker?'

'Duizelig en misselijk. Maar als ik een kwartiertje lig, gaat het beter.'

'Vind jij dat nou normaal?' vroeg ik aan Elles nadat ik had opgehangen. 'Als ze maar iets doet, wordt ze duizelig.'

'Stress?' Elles keek me aan.

Ik knikte. Wat kon het anders zijn. Wij hoefden

niet te bevallen en wij zaten al in spanning.

'We hebben nog geen wipstoeltje,' zei Elles, die knettergek werd van mijn geijsbeer.

'Wie weet zien we nog iets leuks voor het kleintje,' zei ik toen we in de auto zaten.

'Dat lijkt me sterk,' zei Elles. 'Je hebt echt alles.'

We kochten een knalroze stoeltje. Het kon me niet schelen dat roze zogenaamd voor meisjes was. In ons huis gold dat niet.

Toen we thuiskwamen zette ik het stoeltje trots in de kamer, tegenover de bank, zodat je het goed kon zien. 'Gezellig toch?'

'Ja, dag!' Elles haalde het weg. 'Heel leuk, hoor, maar voorlopig gaat het naar boven. De baby is nog niet eens geboren.'

Mas belde. Ze waren op weg naar de verloskundige. Om vijf uur had ze een afspraak. Ik hoopte zo voor haar dat dit de laatste keer was.

Om zes uur had ze nog niet gebeld. Ik keek de hele tijd op de klok. 'Raar,' zei ik. 'Meestal staat ze na twintig minuten buiten.'

'Misschien is het druk,' zei Elles.

Het zat me niet lekker. Om kwart over zes ging de telefoon.

'Het gaat niet goed,' zei Mas. 'Ik heb een veel te hoge bloeddruk.'

'Toch weer?'

'Ja, en in mijn plas zitten eiwitten. Ik moet nu naar het ziekenhuis voor controle.'

Shit!

'Als het meevalt, mag ik misschien toch nog thuis bevallen,' zei ze opgewekt.

Ik had er geen goed gevoel over, maar ik hield me rustig. We hadden ons al een keer gek laten maken door die toko daar.

'Toch niet weer een stagiair?' vroeg ik voorzichtig.

'Nee, mam, mijn eigen verloskundige. We gaan nu. Ik bel je zodra ik meer weet.'

Ze klonk sterk. Misschien viel het mee. Ik zag ze voor me: Mas met haar dikke buik achter op de fiets bij Edgar en aan zijn stuur het koffertje voor het geval ze moest blijven. Even dacht ik aan *Turks fruit*.

Elles en ik hadden Indisch meegenomen uit Alkmaar, maar we hadden geen trek. Wel schonken we een glaasje wijn in. En we keken voortdurend op de klok. Het was halfnegen toen ze belde.

'Ik moet blijven,' zei ze. 'Ik heb zwangerschapsvergiftiging. Met de baby gaat het goed, maar met mij niet. Hij moet er nu meteen uit, voordat ik heel erg ziek word. Mam, kom je? Ze gaan het zo inleiden.' Ze huilde.

'Natuurlijk, meissie. We stappen meteen in de auto.'

Zwangerschapsvergiftiging! Ik wist hoe gevaarlijk dat was. Vroeger toen ik zelf zwanger was, had ik er griezelend over gelezen in *Je lichaam, je leven: het lijf-boek voor vrouwen*. Je kon tijdens de bevalling een hartinfarct krijgen, of in coma raken. Of je kon een hersenbloeding krijgen. We konden haar verdomme verliezen. Daarom was ze zo moe geweest de laatste week. En wij maar denken dat het stress was. Hoe was het mogelijk dat we dat niet hadden gezien? Twee vrouwen, alle twee zwanger geweest. We hadden er helemaal niet aan gedacht. En die toko daar blijkbaar ook niet. Waarom kwamen ze daar pas vandaag achter? Ze had toch eerder ook hoge bloeddruk gehad? Ze hadden haar veel beter onder controle moeten houden. Ik rende de trap op om me op te frissen. Die paar minuten konden er ook nog wel bij. Misschien moest ik vierentwintig uur aan de bak. Elles zat al met de honden in de auto toen ik beneden kwam.

'Drie kwartier,' zei Elles, 'dan zijn we bij haar.'

Een uur dus, dacht ik.

Ik dacht de hele autorit aan Masja. Een veel te hoge bloeddruk en zwangerschapsvergiftiging. En de hele bevalling moest nog beginnen. Een bereklus met zo'n kwetsbaar lijf.

We zeiden bijna niets onderweg. We dachten alle

twee hetzelfde: als het maar goed ging.

'Hou me op de hoogte,' zei Elles toen we voor het ziekenhuis stonden. Ik gaf haar een kus en stapte uit. Ook al reed ze alleen weg, toch waren we samen, al was het maar in gedachten.

Ik liep het Onze Lieve Vrouwe Gasthuis in en dacht aan mijn eigen bevalling. Mijn vliezen waren 's ochtends vroeg gebroken. De hele dag lag ik in het ziekenhuis te wachten tot de weeën zouden beginnen. Dat moest binnen vierentwintig uur, omdat het een stuitligging was. Anders zou er een keizersnee volgen. 's Avonds om twaalf uur was er nog niks. Elles werd naar huis gestuurd. Ik moest zogenaamd goed slapen, zeiden ze, dan was ik fit voor de operatie. Het leek me nog redelijk ook. Pas later drong het tot me door dat het was omdat ik een vrouw als partner had. Elles was nog niet weg of het begon. Ik vroeg aan de vroedvrouw om haar te bellen, maar dat deed ze niet. Het moest eerst goed op gang zijn. Ik lag daar maar in mijn eentje in het donker te vechten tegen de pijn. Hoezo moest het eerst op gang komen? De weeën waren zo hevig dat ik uit mijn bed wilde rennen, maar ik mocht niet opstaan vanwege de stuitligging. Ik drukte een paar keer op de bel, maar de vroedvrouw liet me gewoon liggen. Misschien dacht ze dat ik me aanstelde. Uren later kwam ze pas kijken hoe ver ik was.

'Mooi zo, volledige ontsluiting,' zei ze. 'We gaan uw vriendin bellen.'

Aan het eind van de gang moest ik met de lift naar twee hoog. Ik liep door de stille gang. Het leek wel of er nooit een eind aan kwam. Wanneer zou ik hier weer door naar buiten lopen, en vooral: hoe? Edgar wachtte me op bij de lift. Ik zag het bordje VERLOSKAMERS en ineens kwam er een enorme rust over me. Ik voelde me op en top geconcentreerd, als altijd wanneer ik moest presteren. Ik deed de deur open.

Daar lag mijn dochter, in een ziekenhuisbed. Naast haar stond een monitor waarop via een draadje dat aan het hoofdje van de baby was vastgemaakt zijn hartslag te zien en te horen was. Om Mas' buik zat een band die de weeën moest registreren. Ze lag aan een infuus waardoor de hormonen haar lichaam in druppelden.

Ik keek naar haar. Ik dacht aan haar zwangerschapsyoga, aan haar slaapkamer waar ze weken van tevoren alles zorgvuldig had voorbereid om haar baby op een zo natuurlijk mogelijke manier geboren te laten worden.

TWINTIG

'Tot nu toe vind ik het wel meevallen,' zei Mas laconiek. Ze lag heel rustig in het bed, net als Elles toen ze ging bevallen. Supergeconcentreerd en in zichzelf. Ik hoefde haar hand niet vast te houden. Liever niet zelfs. Maar ik kon zien dat ze blij was dat ik er was. Het gaf haar een veilig gevoel.

Edgar zat daar maar wat. Wat moest hij anders? Elke toenadering die hij zocht werd afgewezen. Gelukkig had hij van vrienden gehoord dat ze er ook alleen maar als lulletje rozenwater bij hadden mogen zitten. Hij deed het koffertje open en liet me de kleertjes zien die de baby aankreeg als hij was geboren. Een voor een haalde hij ze tevoorschijn, vouwde ze open en borg ze daarna weer zorgvuldig op. Het leek een soort bezwering.

'Elles mag ook wel even langskomen,' zei Mas ineens. 'Ik zou het wel fijn vinden.'

Ik dacht aan alle gesprekken die Elles en ik samen hadden gevoerd. Elles had wel zelf voorgesteld dat ik moest aanbieden om erbij te zijn, maar makkelijk was het niet. We zouden het spannende wachten niet samen beleven en we zouden ook niet samen voor het eerst ons kleinkind zien als het was geboren. Dat had ik er nog het moeilijkst aan gevonden. En nu was de situatie totaal veranderd. Mas lag niet thuis zoals gepland, maar in het ziekenhuis, en nu wilde ze dat Elles wél langskwam. Elles was vast al bijna thuis. Ik wist niet of ik haar moest bellen. Ze had zich er nu helemaal op ingesteld om het lange wachten in haar eentje te volbrengen. Maar Elles moest er zelf over beslissen of ze kwam of niet, dus ik belde haar toch.

'O, dan kom ik meteen!' zei ze blij.

We hoorden een baby verderop in de gang huilen.

'Het is druk,' zei de verpleegkundige, die thee voor me neerzette. 'Vollemaan, dat merken we altijd. Wij niet alleen, alle ziekenhuizen. Normaal worden er in Amsterdam zo'n vijftig baby's per dag geboren. Maar met vollemaan zijn het er altijd meer.'

Ik voelde dat ik heel rustig was. Ik had alles onder controle. Ik hield Mas voortdurend in de gaten en masseerde af en toe haar voeten. Ik had me er al twee weken op voorbereid en nu was het dan zover. Deze nacht nog, of uiterlijk morgen, en dan zou de baby worden geboren.

Je moet eruit, kindje, dacht ik steeds als ik Mas zag liggen. 'Je moet er zo snel mogelijk uit.

Al die maanden had ik vol liefde aan het kleintje in de buik gedacht. Hoe hij daar veilig rondzwom. Maar nu dacht ik vooral aan de gezondheid van mijn eigen kind. Zou ze het redden? Ik zag Mas' van pijn vertrokken gezicht. De weeën werden heviger.

'Gaat het?'

'Mijn rug,' kreunde ze zachtjes. 'Mijn rug doet zo'n pijn. Mag ik even op mijn zij?' vroeg ze aan de verpleegkundige.

'Als je maar heel voorzichtig draait,' zei de verpleegkundige. 'Anders schiet het draadje van het hoofd van de baby en dan moeten we het opnieuw vasthaken. Niet zo lekker voor hem.'

Ze legde een kussen in Mas' rug.

Mas lag doodstil. De weeën kwamen regelmatig en volgden elkaar sneller op. Elles kwam binnen. Ik zag aan Mas dat ze het fijn vond dat Elles er was.

Ik zette mijn stoel naast het bed. Edgar liet Elles de kleertjes zien. Openvouwen, showen en zorgvuldig opbergen.

'Wordt het nog erger?' vroeg Mas.

Ik keek hoe ze de weeën opving. Aan haar van pijn vertrokken gezicht las ik af dat ze al een eind op weg moest zijn. De verpleegkundige kwam voor controle met de gynaecoloog langs. Ze keken naar de monitor.

'We gaan nog maar niet kijken. Aan de curve te zien is er nog niet veel gebeurd. We willen wel kijken, maar dat kan alleen maar een teleurstelling worden.'

Ik keek naar Masja en geloofde er geen zak van. Ik dacht terug aan mijn eigen bevalling. Uren hadden ze me voor niets laten lijden. Dat ging met mijn dochter niet gebeuren. Ik was niet voor niks mee.

De verpleegkundige bleef even staan.

'Volgens mij is ze al een heel eind,' zei ik. 'Mas is niet kleinzerig.' Dat wist ik. Ze kon angstig zijn, maar dat was ze nu niet. Ze kromp ineen van de pijn. Ik herkende het stadium. Daarom zei ik het nog een keer. 'Ik denk dat ze al een heel eind is.'

'De curve.' De verpleegkundige wees naar het apparaat. Wat kon mij die machine schelen! Kijk dan naar haar, dacht ik.

'Ja, zo te zien...' Ze begon te twijfelen. 'Ze ligt op haar zij, dat kan het ook zijn. Dan registreert de monitor het soms niet zo nauwkeurig.'

Intussen lag Mas maar te vechten.

'Zullen we dan toch maar even kijken?' zei de verpleegkundige toen ik haar bleef aankijken. Ze haalde de arts.

'Je zult zien dat je al een heel eind bent,' zei ik tegen Mas, die het even niet meer zag zitten.

De arts kwam de kamer in en voelde. 'Mooi zo,' zei ze. 'Dat is snel gegaan. Ik voel nog een heel klein randje op links. Probeer het nog even vol te houden, dan gaan we zo persen. Draai maar op je linkerzij.'

Ik kon die arts wel omhelzen. Ik heb toen dus niet voor niks hoeven lijden, dacht ik blij. Nu heeft mijn dochter er baat bij.

De baby moest eruit. Ik zag Mas' ogen met de minuut boller worden.

De arts en de verpleegkundige gingen aan het eind van het bed staan. Ik zat aan de ene kant van het bed en Edgar aan de andere kant. Elles keek me aan en ging stilletjes in een hoekje zitten.

'Nog even volhouden,' moedigde de verpleegkundige aan.

Ik kende de weeën die nu kwamen. Onhoudbaar. Zo gemeen, het moment dat je nog niet mag persen. Waarom moeten vrouwen zo lijden? Ik dacht weer aan het moment dat ik van de pijn uit mijn bed wilde springen. Zou Mas dat ook hebben?

Ik zag dat Mas het bijna niet meer aankon. Het gebeurde heel organisch. Toen de wee kwam, pakte ik haar hoofd tussen mijn handen en gaf tegendruk. 'Helpt het?' vroeg ik.

Ze knikte.

'Je mag persen,' zei de arts.

Nu kwam het grote werk. Het uitdrijven. Mas vond het doodeng, net als Elles. Elles had haar weeën zo ongelooflijk goed opgevangen, maar toen ze moest persen raakte ze in paniek. Ze voelde niets meer. De verloskundige voelde toen aan haar buik of er een wee kwam en dan spoorden we haar aan. Persen! Elles heeft niets van het uitdrijven gevoeld. Mas voelde het wel, maar ze durfde niet alle kracht te geven die ze had.

Bij elke perswee pakte ik haar hoofd, gaf tegendruk, en legde haar hoofd weer neer. Ik zou haar erdoorheen slepen. Maar wat was ze opgezwollen! Die pokkenhoge bloeddruk ook. Ik zag de arts kijken. Mas' ogen spatten bijna uit hun kassen. Niet denken aan wat er kon gebeuren, er was geen weg terug, ze moest door.

We moedigden haar aan. Hoofd optillen, tegendruk geven en weer neerleggen. Het kruintje was al te zien. Tenminste, volgens de verpleegkundige en Edgar. Ik zag verdomme niks, alleen mijn dochter. Ik dacht totaal niet aan wat er moest komen, alleen dat de baby eruit moest voor Masja. Het was afschuwelijk om mijn kind zo te zien lijden. Na elke perswee gleed het hoofdje weer terug.

Uitgeput viel ze telkens achterover. Zou ze dit volhouden? Maar ze zette door en gaf alle kracht die ze had.

'Nog één perswee en hij is er,' zei de arts. 'Zet alles op alles.'

Ik wachtte gespannen op de laatste wee. Het duurde even. Misschien was het maar een paar minuten, maar het leek zo lang. Als hij nog maar komt. In gedachten zag ik een heel gedoe voor me met een tang die het hoofdje eruit moest halen. Maar daar kwam hij! Mas perste uit alle macht. Ik zag het hoofdje komen. De rest van het lichaampje volgde.

'Een prachtige jongen.' De arts legde de baby op Mas' buik.

Mijn dochter had het gered en streelde teder haar baby. Florian.

'Ben je daar, kleine aap,' zei ze zoals alleen een moeder dat kan zeggen. Mijn dochter was moeder geworden. Daar was geen twijfel over mogelijk. De tedere blik, de liefde, ze was voorgoed veranderd. Het prachtige beeld van die twee greep me aan. Ik moest huilen om het besef dat ze nooit meer dezelfde onbevangen Massie zou zijn. We omhelsden elkaar allemaal, maar helemaal klaar was ze nog niet. De placenta moest nog komen. De verpleegkundige gaf Edgar een schaar om de navelstreng door te knippen.

'Kijk eens.' De verpleegkundige liet de placenta zien. Het was een schitterend gezicht. Het huis van haar kind. Ze hield de vliezen omhoog. In de vliezen zat de placenta met de navelstreng. De verpleegkundige liet de aders zien die erdoorheen liepen. Ze wilde hem meenemen om weg te gooien.

'Nee,' zei ik. 'Mas wil hem houden.'

Ik voelde me net zo'n regisseur die overal aan moest denken. 'Ga je hem begraven?'

'Ik weet het nog niet,' zei Mas, die met Edgar tegen zich aan en haar baby op haar buik lag bij te komen.

Al maanden had ik het voor me gezien. Vooral de laatste weken, wel honderden keren. Hoe ik mijn kleinzoon in mijn armen zou houden als hij was geboren. Hoe ik door mijn tranen heen zou gillen van blijdschap. Maar nu hij er was, keek ik alleen maar naar mijn dochter. Haar uitgeputte, opgezette gezicht. De uitpuilende ogen, en haar gezwollen lichaam. Ze was er nog. Ineens voelde ik hoe bang ik was geweest. Wat een geluk dat ze niet thuis was bevallen. Ze moest nog in het ziekenhuis blijven, maar hier kreeg ze alle zorg die ze nodig had. De verpleegkundige kwam binnen met een blad met beschuit met muisjes. Ik nam een hap en keek voor het eerst echt naar het prachtige kleine mensje op mijn dochters buik. Pas toen drong het tot me door. Ik was oma geworden.

Mijn lieve kleinzoon Florian,
geboren 28 mei 2010